PIÉGÉ

GORDON KORMAN

Texte français d'Hélène Pilotto

Éditions
■SCHOLASTIC

À Michelle

Catalogage avant publication de Bibliothèque
et Archives Canada

Korman, Gordon
[Framed. Français]
Piégé / Gordon Korman ; texte français d'Hélène Pilotto.

Traduction de: Framed.
Pour les 9-12 ans.

ISBN 978-1-4431-0980-2

I. Pilotto, Hélène II. Titre. III. Titre: Framed. Français.

PS8571.O78F7314 2011   jC813'.54   C2011-901552-8

Conception graphique du livre : Elizabeth B. Parisi
Le texte a été composé en caractères ITC Century.

Édition publiée par les Éditions Scholastic,
604, rue King Ouest, Toronto (Ontario) M5V 1E1.

5 4 3 2 1   Imprimé au Canada 116   11 12 13 14 15

Je suis un acheteur sérieux, intéressé par l'objet de valeur que vous avez acquis dernièrement. Si vous avez envie de gagner beaucoup de $$$, retrouvez-moi sous la statue *La Justice aveugle*, dans le hall du palais de justice de Cedarville…

DEUX SEMAINES PLUS TÔT...

1

Une pluie fine enveloppe les 680 élèves en rangs sur le terrain boueux, devant l'école secondaire de Cedarville. Beuglant ses encouragements dans un porte-voix, le directeur de l'école leur ordonne d'exécuter 20 sauts, bras et jambes écartés. Sous leurs espadrilles trempées, les éclaboussures fusent.

Ben Slovak essaie tant bien que mal d'exécuter les sauts tout en contrôlant la bosse qui gigote sous son chandail. De temps à autre, un museau pointu et des yeux perçants, mais inquiets, sortent par son col.

— Je pense que Fouineur n'apprécie pas! s'exclame Ben.

Ben souffre de narcolepsie, une maladie qui peut le faire s'endormir subitement à tout moment de la journée. Le petit furet sous son chandail est entraîné pour le mordre délicatement chaque fois qu'il le sent s'assoupir.

— Fouineur est un petit malin! souffle Griffin Bing, qui peine à côté de Ben. Bon, d'accord, on a besoin d'une séance d'exercice le matin... mais sous la pluie?

Tout le monde sait que M. Egan a été l'excellent entraîneur d'une équipe de football collégiale avant d'obtenir son doctorat en administration. Mais personne n'avait prévu qu'en devenant le nouveau directeur de l'école secondaire, il la transformerait en un camp d'entraînement. C'est pourtant vrai depuis la deuxième journée du semestre : les pompes, les sauts, la course sur place, les redressements assis...

Griffin en a déjà plus qu'assez... et il n'est pas le seul. Du coin de l'œil, il aperçoit Logan Kellerman, trois rangées plus loin, qui esquisse à peine les mouvements. Derrière Logan, Melissa Dukakis s'est retranchée derrière ses longs cheveux, qui lui collent maintenant au visage. On dirait une tulipe en bouton, mais une tulipe qui serait à bout de souffle et qui respirerait fort.

Parmi tous les amis de Griffin, seule Pic Benson réussit à suivre le rythme. Pic est une grimpeuse accomplie en parfaite condition physique. Ses mouvements sont fluides, et seul le directeur devant eux l'égale dans sa perfection athlétique.

Soudain, Griffin reçoit une grande tape derrière la tête. Sous l'impact, il pousse un cri. Son appareil orthodontique sort de sa bouche et tombe dans la boue.

— Réveille-toi, Bing! lance une grosse voix derrière lui.

En d'autres circonstances, Griffin aurait aussitôt affronté Darren Vader, son pire ennemi. Mais la priorité en ce moment, c'est de récupérer son appareil dentaire. Ses parents lui ont bien fait comprendre qu'il devait protéger au péril de sa vie le précieux objet qui vaut une petite fortune.

Il se met à genoux et scrute le gazon. Où est-il? Des pieds s'agitent et bougent en tous sens autour de lui.

— *Arrêtez de bouger!* crie Griffin.

— Tu veux rire! s'esclaffe Darren en faisant exprès de l'éclabousser de boue.

Découragé, Griffin cherche à tâtons l'objet en plastique et en métal si familier dans l'herbe. Rien.

— Ben! crie encore Griffin. Peux-tu m'aider à retrouver mon appareil dentaire?

— Ah! C'est dégoûtant! s'exclame Ben.

— De quoi tu parles?

Ben fixe l'intérieur de son chandail à capuchon.

— Fouineur vient de vomir sur moi!

— Il est peut-être sujet au mal des transports, suggère Savannah Drysdale, qui en connaît plus sur les animaux que n'importe qui. Tu sais, comme les gens qui supportent mal les longs trajets en voiture. Pauvre petit chou! Ce n'est pas sa faute.

Fouineur passe la tête par l'encolure du chandail et fait un rot en signe de reconnaissance.

— Mais c'est dégoûtant! se plaint Ben.

Darren laisse échapper un rire stupide.

— Dommage qu'il n'existe pas de petits sacs à vomi pour les furets!

— *Est-ce que quelqu'un peut m'aider à retrouver mon appareil orthodontique?* gémit Griffin.

Savannah fait une moue dédaigneuse.

— Arrête un peu! Tu l'as sous les yeux, gronde-t-elle en se penchant pour le ramasser dans l'herbe. Si tu parlais moins, il ne sortirait pas aussi souvent de ta bouche.

Griffin examine le métal crasseux et couvert de boue. Il déteste tellement cet instrument de torture! Ça serre, ça égratigne et ça l'empêche de dormir la nuit. Mais s'il le perdait, il n'aurait plus qu'à se chercher de nouveaux parents.

Il se tourne vers Darren et brandit le poing dans sa direction.

— Un jour, Vader...

Trois coups de sifflet brefs viennent interrompre ses menaces.

— Attention, tout le monde! hurle M. Egan. Bon travail! Souvenez-vous que votre esprit ne sera vif que si votre corps l'est aussi. On va finir par faire quelque chose de vous, bande de paresseux. Écoutez-moi maintenant, car j'ai une grande nouvelle à vous annoncer.

Un murmure inquiet monte de la foule. Au cours des deux dernières semaines, les élèves ont déjà entendu leur lot de « bonnes nouvelles ». Il y a eu celle leur apprenant qu'ils sont gros et pas en forme, celle leur rappelant que des corps mous engendrent des esprits mous, ou encore celle prônant que le sport est la meilleure façon de forger le caractère. On leur a aussi annoncé que la période d'accueil du matin serait désormais remplacée par vingt minutes d'exercices tonifiants et que, grâce à eux, ils seraient tous en meilleure santé, même s'ils devaient y laisser leur peau.

— La seule nouvelle que j'ai envie d'entendre, c'est qu'on ne sera plus obligés de faire ces fichus exercices, grommelle Ben.

— Pourquoi il ne nous communique pas sa bonne nouvelle à l'intérieur, au chaud et au sec? marmonne Savannah les dents serrées, tandis que la pluie se met à tambouriner plus fort sur leurs têtes.

— Si j'attrape un rhume, je ne pourrai pas projeter ma voix jusqu'au fond de l'amphithéâtre, avertit Logan, qui vient juste d'obtenir le rôle principal dans *Ave César*, la pièce de l'école.

M. Egan reprend :

— Combien parmi vous savent que Art Blankenship est originaire de cette ville et qu'il a étudié ici même, dans cette école, quand elle abritait l'ancien collège de Cedarville?

Pas une seule main ne se lève.

— C'est qui Art Blankenship? chuchote Pic.

Griffin hausse les épaules et tente de nettoyer son appareil dentaire en le frottant sur son pantalon.

— Voilà une chose que nous devons tous partager! poursuit le directeur. La fierté! Art Blankenship était l'entraîneur adjoint des défenseurs des Jets de New York, les champions du Super Bowl de 1969! Et vous ne devinerez jamais ce que j'ai trouvé, derrière une pile de rouleaux de papier hygiénique, dans la réserve de produits d'entretien!

Il brandit un petit objet brillant que personne n'arrive à distinguer et ajoute :

— Voici la bague du Super Bowl d'Art Blankenship! Sa vraie bague à lui!

Quelques applaudissements saluent cette découverte.

— Sa veuve l'a offerte à l'ancien collège de Blankenship en sa mémoire, là où il avait appris à devenir un champion!

Les applaudissements sont un peu plus nourris.

— Vous avez raison d'être impressionnés, approuve le directeur, mais vous devriez aussi crier votre indignation! Quelqu'un dans cette école n'a pas hésité à remiser ce trésor sur une étagère quelconque, où il a été oublié, perdu parmi les rouleaux de papier hygiénique! Eh bien, mes amis, ce temps-là est révolu! La bague aura la place d'honneur dans la vitrine devant le secrétariat! Chaque fois que vous la verrez, je veux que vous songiez à l'héritage que nous a légué Art Blankenship. Il a grandi ici, il a marché dans ces couloirs et il a atteint le plus haut niveau de réussite! La cloche va bientôt sonner. Je veux que vous manifestiez un peu de dynamisme et de fierté en vous dirigeant vers votre premier cours de la journée. Allez-y! conclut-il en tapant vivement des mains.

Il n'a pas besoin de le répéter. Les élèves se ruent aussitôt vers les portes pour échapper à la pluie.

Au moment où Griffin s'apprête à entrer, le nouveau directeur vient se planter devant lui pour lui barrer l'accès.

— Griffin Bing, je ne suis pas aveugle, mon garçon. Penses-tu que je ne t'ai pas vu, dehors, à paresser et à te traîner à quatre pattes dans l'herbe? Ne nie pas. Tes genoux sont pleins de terre.

— Désolé, répond Griffin en rougissant. Mon appareil orthodontique est tombé et j'ai eu du mal à le retrouver avec la pluie et tout…

— Oublie les excuses. Seuls les résultats comptent, le coupe M. Egan avec impatience. C'est vrai au football et c'est vrai dans la vie. Ne va pas croire que je ne te connais pas. Ta réputation n'est plus à faire.

Il sort de sa poche une coupure du *Herald*, le journal local, pliée avec soin. On peut y lire :

CRIMINALITÉ EN HAUSSE CHEZ LES JEUNES DE « CEDARVILLE-LA-TRANQUILLE » ?
par Celia White

On pourrait croire que le problème de la criminalité juvénile ne concerne que des villes comme New York. Or, combien parmi nous sont conscients que notre tranquille municipalité de Cedarville connaît présentement une petite vague de crimes imputables aux jeunes?

Je ne fais pas allusion ici aux espiègleries habituelles, du genre sonneries aux portes ou graffitis de mauvais goût. Non, pour nos « héros » locaux, il s'agirait d'enfantillages. Ils préfèrent voler les animaux de grande valeur d'un zoo, par exemple. Ou chiper une carte de baseball valant près d'un million de dollars...

Jusqu'à présent, la police a décidé de fermer les yeux. Si la loi m'interdit de citer des noms dans cet article, je me permets quand même de préciser que les malfaiteurs sont toujours parmi nous, qu'ils sont assis en classe, qu'ils fraternisent avec nos enfants et que, selon nos sources, ils planifient déjà leur prochain méfait...

Griffin lève les yeux, trop horrifié pour continuer à lire. L'article parle de lui et de ses amis!

Le directeur fixe Griffin de ses yeux perçants.

— Toi et tes petits copains, vous êtes des célébrités dans le coin.

— C'est faux! parvient à dire Griffin d'une voix

étranglée. Enfin, oui, c'est arrivé, mais pas de la façon que c'est écrit ici!

Comment pourrait-il expliquer une histoire pareille? Oui, ses amis et lui sont entrés par effraction dans deux zoos et ont volé une carte de baseball, mais à chaque fois, il était question de justice. Comment ce directeur-entraîneur de football pourrait-il comprendre? Bien sûr, ils ont dû enfreindre quelques lois. Bien sûr, la police s'en est mêlée. Mais aucun membre de l'équipe n'a été accusé de crime. Au bout du compte, les autorités ont reconnu que Griffin et ses amis avaient agi en pensant bien faire.

— Cette fois, tu t'en tires avec un avertissement, conclut M. Egan, mais n'oublie pas : je t'ai à l'œil. Arrange-toi pour que tes complices sachent que ça vaut pour eux aussi.

Ben attend Griffin dans le couloir principal.

— Qu'est-ce qu'il voulait, au juste?

Griffin est bouillant de colère.

— Il voulait nous disputer pour quelque chose qu'on n'a même pas fait. Savais-tu que cette vieille chipie de Celia White a écrit un article dans le *Herald*, dans lequel elle nous traite ni plus ni moins de criminels?

Ben rougit.

— Ma mère lit Celia White chaque semaine. J'ai failli me faire crever un tympan à cause de cet article.

— Ah, ouais? Eh bien, devine quoi? Egan ne jure

que par elle! lance Griffin avec une grimace. Le type vient d'obliger sept cents jeunes à faire des exercices sous une pluie torrentielle et c'est *nous* qu'il faut surveiller? Celia White devrait écrire un article sur ce bourreau d'enfants!

Ben caresse nerveusement la bosse de son chandail où Fouineur est blotti et dit :

— Ça ne fait même pas deux semaines qu'on est à l'école secondaire et on a déjà le directeur sur le dos.

Griffin acquiesce, la mine sombre.

— Il faut qu'il cesse de s'intéresser à nous. Pour ça, on a absolument besoin d'un plan...

Griffin continue de marcher, mais Ben reste figé après avoir entendu le mot fatidique : *plan*. À Cedarville, État de New York, Griffin Bing est l'Homme au Plan.

Et un plan de Griffin, ça signifie toujours des ennuis.

2

LES JETS DE NEW YORK
CHAMPIONS DU MONDE

C'est une grosse bague en or, conçue pour un très gros doigt. Au centre, un diamant imposant, entouré d'autres plus petits, recrée la forme d'un ballon de football, lequel est orné d'un contour vert, couleur des Jets.

Melissa secoue la tête. Le rideau de ses cheveux se sépare et révèle deux grands yeux émerveillés.

— On entend souvent parler des bagues du Super Bowl, mais c'est la première fois que j'en vois une d'aussi près, dit-elle de sa voix douce.

Pic approuve d'un signe de tête, impressionnée.

— Le Super Bowl III est une des parties les plus célèbres de toute l'histoire de la NFL.

Un jet de produit nettoyant pour vitres gicle sur la vitrine. Pic recule d'un bond pour éviter d'être éclaboussée.

M. Clancy, un des concierges de l'école, glisse un chiffon par-dessus l'épaule de Pic et vient nettoyer la vitre juste devant la bague.

— Super Bowl III, c'était n'importe quoi, marmonne-t-il.

— Ce n'est pas pour cette partie que Broadway Joe Namath avait prédit la victoire des Jets, puis avait tout fait pour la gagner? demande Pic.

— Un coup de chance, répond le concierge d'un ton amer. J'avais exactement ton âge lors de ce supposé Super Bowl. Le pire jour de ma vie.

Il s'éloigne, son bandeau bleu et blanc voilé par un nuage de produit nettoyant.

— Je ne pense pas que M. Clancy soit un partisan des Jets, fait remarquer Savannah.

— Je suis d'accord, approuve Pic. Il doit quand même reconnaître qu'une vraie bague du Super Bowl… c'est quelque chose!

Griffin fait une mine dégoûtée.

— Ça te donne envie d'aller dehors pour faire encore des sauts bras et jambes écartés? En pleine tempête de neige cette fois, peut-être? Ou durant une inondation? On brûlerait plus de calories si on faisait nos exercices dans l'eau!

— C'est bon, Griffin, on a compris, dit Ben pour calmer son ami. Tu n'adores pas M. Egan. Moi non plus, d'ailleurs. Tu crois que ça me plaît de me faire vomir dessus par un furet à huit heures du matin?

— Ne vous plaignez pas : vous ne le voyez qu'à l'école, intervient Savannah. Imaginez que le type vive en face de chez vous.

— C'est ton *voisin?* s'écrie Pic, scandalisée. C'est affreux!

— Il faut bien habiter quelque part, répond tristement Savannah. De toute façon, je ne le croise pas souvent. Il passe probablement toutes ses journées ici, à embrasser sa bague du Super Bowl.

— C'est quand même un objet rare, admet Pic.

— Ouais, c'est chouette, approuve Logan, mais pas autant qu'un oscar, bien sûr.

Darren s'avance de son pas lourd. Il vient mettre son nez dans leurs affaires, comme d'habitude.

— En tout cas, Kellerman, tu ne risques pas de remporter un oscar pour tes performances athlétiques.

Puis, il demande à Griffin :

— Comment va ton appareil dentaire? Tu l'as débarrassé de toute sa crasse?

Griffin vient de passer près de vingt minutes à le rincer sous l'eau chaude. La dernière chose dont il a envie, c'est d'endurer l'humour débile de Darren. Il ouvre la bouche pour lui servir une réplique cinglante, mais échappe une nouvelle fois son appareil. Il réussit tout juste à l'attraper avant qu'il ne tombe par terre.

— Bel arrêt, raille Darren.

— Va te faire voir ailleurs, Vader.

— M. Egan nous a dit d'admirer la bague et de nous en inspirer, déclare Darren. C'est ce que je fais.

— Attends une minute, reprend Griffin en plissant les yeux. Tu *aimes* le directeur?

— C'est le meilleur de tout Long Island, confirme Darren.

Griffin regarde la vitrine, la mine renfrognée.

— C'est plutôt M. Tyran.

— On a de la chance de l'avoir, reprend Darren d'un air satisfait. Je suis le plus jeune élève à avoir été admis dans l'équipe de football, et je vais briller!

Pic grommelle quelque chose entre ses dents que personne ne comprend, et c'est probablement mieux ainsi. Elle a été de mauvaise humeur toute la semaine et aucun de ses amis ne sait pourquoi.

Darren poursuit, tout sourire :

— Vous êtes mécontents parce que M. Egan ne vous laissera jamais mener le même genre d'opérations qu'à l'école primaire.

— Tu n'oublierais pas un petit détail? demande Griffin en faisant de gros efforts pour contenir sa colère. Tu as participé à toutes les étapes de ces plans, pour ensuite mieux nous trahir ou nous jouer dans le dos…

— Ouais… mais c'est vous, les minus, qui avez été tenus responsables, pas moi.

Le costaud fixe la bague du Super Bowl dans la vitrine et ajoute :

— Un jour, moi aussi, j'en aurai une. Avec de vrais

diamants, comme celle-ci! Elle vaut combien à votre avis?

— Plus que ce qu'on obtiendrait si on te vendait, réplique Pic du tac au tac. Du gras et de l'air, ça ne vaut pas cher.

— Ce n'est pas juste une question d'or et de diamants, dit une voix grave derrière eux. C'est sa rareté qui fait toute sa valeur.

Les jeunes se retournent. Tony Bartholomew, un grand gars sérieux de deuxième secondaire, se tient devant eux.

— Chaque équipe qui gagne le Super Bowl reçoit une bague unique. Seuls les joueurs des Jets et le personnel d'entraînement en ont eu une comme celle-ci. Il n'y en a probablement pas plus que cinquante ou soixante dans le monde entier.

Il s'interrompt un moment avant d'ajouter :

— Et celle-ci m'appartient.

Sa remarque ne passe pas inaperçue.

— Comment ça? demande Darren.

— Art Blankenship était le cousin germain de ma grand-mère. Je suis donc son plus proche parent vivant.

— À part sa femme, fait remarquer Savannah. Et elle a donné la bague à l'école.

Tony hoche la tête.

— Oui, mais en l'oubliant quelque part dans un

coin sombre, l'école s'en est débarrassée. C'est à ce moment-là qu'elle aurait dû me revenir, argumente-t-il.

— Hum! fait Logan, pensif. Qu'est-ce que tu vas faire?

— Je ne sais pas, répond Tony d'une voix où se mêlent la tristesse et la détermination. Quelque chose. La bague m'appartient.

La cloche sonne. Dans le corridor, l'agitation et le bruit s'intensifient. Tony se fond dans la foule, tandis que Darren prend congé en leur adressant un joyeux : « À plus, les minus! »

Pic secoue la tête avec étonnement.

— Je rêve ou cet endroit est encore plus bizarre que notre ancienne école?

— J'ai un furet sur prescription médicale, répond Ben avec un soupir. Je suis mal placé pour juger de ce qui est bizarre ou pas.

3

Le grognement sourd sort d'une paire de mâchoires qui auraient pu appartenir à un jeune tyrannosaure Rex.

Luthor n'aime pas les ordinateurs, une réaction due à son passé de chien de garde dans un magasin d'articles de collection. Le gros doberman conserve un mauvais souvenir des longues nuits passées enfermé dans la boutique, avec le bourdonnement de l'ordinateur et la faible lueur de l'économiseur d'écran pour seule compagnie.

Griffin sent l'haleine chaude de l'animal dans son cou. Il fait apparaître le message sur l'écran de Savannah.

Monsieur Egan,

Il a été porté à notre attention que le terrain devant votre école avait une pente de 3,5 %, ce qui en fait un endroit INAPPROPRIÉ pour des Activités sportives extérieures sécuritaires (ASES), telles que le boulingrin et les exercices matinaux de mise en forme. Nous vous prions de cesser toutes les ASES d'ici à ce que le terrain soit nivelé et certifié sécuritaire par une firme d'ingénieurs qualifiés.

Salutations,

— C'est la chose la plus stupide que j'aie jamais
lue, déclare Savannah.

— J'en ai un autre sur les dommages causés à
l'habitat des fourmis par les sauts bras et jambes
écartés, propose Griffin.

— Deuxième idée la plus stupide au monde. Si moi,
je flaire le piège, ça veut dire que Egan le flairera en
une fraction de seconde.

— Tu ne comprends pas ma stratégie, insiste
Griffin. Oui, c'est faux, mais c'est juste assez vrai
pour qu'il se sente obligé de vérifier. *Peut-être* que le
terrain est en pente; *peut-être* que la coalition contre
les blessures existe réellement. Il ne peut pas le savoir
à moins de faire quelques recherches.

— Et combien de temps ça va lui prendre? demande
Savannah.

— Pas beaucoup, concède Griffin, mais on va lui
envoyer des centaines de messages du même genre.
Des milliers, si on réussit à en inventer suffisamment.
S'il est occupé nuit et jour par nos plaintes, il n'aura
plus le temps de s'acharner sur les enfants que Celia
White accuse de menacer la tranquillité de Cedarville.

— Ouais, mais le message va provenir de mon
ordinateur. Il va tout de suite voir que c'est moi qui
l'envoie.

Griffin hoche la tête.

— Melissa sait comment faire pour qu'il soit absolument impossible de retracer l'origine d'un courriel. Elle peut le faire rebondir vingt fois un peu partout dans le monde et finalement faire croire qu'il vient du bureau du président de la Zambie. On verra bien si M. Tyran le mettra en retenue, *lui*.

— C'est un *plan*, ça, pas vrai? dit Savannah en plissant les yeux.

— Bien sûr que non. C'est une stratégie. Tu sais, une tactique...

— C'est la même chose! rage-t-elle. J'espère que tu es en train de délirer, Griffin Bing! Aurais-tu oublié ce qui s'est passé avec ton dernier plan? Et celui d'avant?

— Hé! Je sais que j'ai été un peu téméraire par le passé, réplique Griffin sur la défensive, mais on a réussi à s'en sortir, non?

— Tu ne te souviens pas de ce qu'a dit le policier si on transgressait la loi encore une fois? Il a dit : « Vous serez arrêtés, menottés, vos empreintes digitales seront prises et vous serez poursuivis en justice à la pleine mesure de la loi. » Ce sont ses *paroles exactes*. Je le sais parce que ces paroles, elles hantent nos rêves à tous depuis quatre mois, trois semaines et six jours, à quelques heures près.

— Egan n'a pas le droit de nous traiter comme des criminels pour une chose qu'on n'a même pas faite, s'entête Griffin.

— Je suis d'accord avec toi. On l'est tous. Mais pas de plan, Griffin. C'est trop risqué.

Dehors, un moteur se met à vrombir. Un personnage costaud à l'allure familière apparaît de l'autre côté de la rue, poussant une tondeuse à gazon.

— C'est lui! s'exclame Griffin en prenant un air sombre. M. Tyran est *vraiment* ton voisin!

Griffin observe le directeur manœuvrer la tondeuse avec soin, taillant sa pelouse en bandes parfaitement droites.

— Il traite son gazon comme si c'était une terre sacrée, mais il n'hésite pas à envoyer des centaines de jeunes piétiner un lieu public à qui mieux mieux.

Savannah a un air absent.

— Tu ferais mieux d'y aller, Griffin. J'ai des soucis en ce moment à cause d'un rat.

Griffin pose les yeux sur l'habitat des petits rongeurs où une collection de hamsters, de gerbilles et de souris blanches trottine dans le labyrinthe de tubes en plastique coloré. La chambre de Savannah est une véritable ménagerie. Elle abrite aussi des chats, des lapins, des tortues, un perroquet, un singe capucin et un caméléon albinos prénommé Lorenzo.

— Je parle d'un vrai rat, précise-t-elle les lèvres pincées. En liberté dans la maison.

Quand Griffin comprend enfin, il laisse échapper

un petit rire.

— Tu as une maison *infestée?* Toi? L'experte animalière?

Luthor pousse un jappement qui fait trembler les fenêtres.

— Je ne voulais pas te vexer, s'empresse d'ajouter Griffin. Mais tout de même, si quelqu'un peut s'occuper d'un problème d'animaux, c'est bien toi, non?

Savannah soupire.

— Tu te trompes. Ça nous touche deux fois plus que n'importe qui d'autre. Les animaux sentent qu'il y a un étranger dans la maison. Ils ont les nerfs à vif. Les lapins se chamaillent. Ça fait des jours que les tortues se terrent dans leur carapace.

— Appelle un exterminateur, suggère Griffin avec un haussement d'épaules.

Savannah le fusille du regard.

— Tu parles d'un assassin qu'on paie pour qu'il tue des créatures vivantes? Je ne crois pas, non. D'ailleurs, les poisons et les pièges ne font pas de discrimination. Comment je ferais pour protéger les autres animaux?

Griffin comprend son dilemme. Depuis toujours, Savannah se consacre à aimer, à recueillir et à prendre soin des bêtes. Traiter un animal, n'importe lequel, comme un ennemi, lui serait aussi difficile que de s'envoler vers la lune.

Il essaie de détendre l'atmosphère.

— Tu devrais te débrouiller pour envoyer le rat chez Egan, en face. Je dois aller chez Logan. Fais-moi signe si tu changes d'idée à propos des courriels.

Monsieur Egan,
Comme vous le savez probablement, le rideau de scène de l'amphithéâtre grince, ce qui est très dérangeant lors des changements de décors pendant un spectacle. Nous avons pris l'initiative d'en choisir un nouveau parmi les modèles proposés dans le catalogue de Spectaplux. Il coûte seulement 6000 $. Devrions-nous passer la commande et leur demander d'envoyer la facture à l'école?
Merci!
Les Amis de la troupe d'art dramatique

Logan fronce les sourcils.

— Ça n'existe pas les « Amis de la troupe d'art dramatique ».

— Mais Egan, lui, ignore ce détail, réplique Griffin. Et pendant qu'il cherche la vérité, il ne nous embête pas. Le plus beau de l'histoire, c'est que Melissa va faire en sorte que personne ne puisse savoir que le message vient de chez toi.

— Hum… Je ne sais pas, Griffin, dit Logan d'un ton sceptique. Je dois penser à ma carrière. Je ne pourrai jamais percer à Hollywood si j'ai un dossier criminel. À moins qu'il soit vraiment digne d'intérêt…

— C'est pour ça qu'on doit passer à l'action, fait valoir Griffin. M. Tyran est tellement convaincu qu'on est des voyous qu'il va nous accuser d'un truc tôt ou tard, n'importe quoi, même si on est parfaitement innocents.

— Ouais, mais s'il découvre ce qu'on fait, il donnera raison à Celia White et à son article, lui rappelle Logan. En tout cas, pour le nouveau rideau de scène, c'est super. Penses-tu qu'on l'aura à temps pour la présentation de *Ave César*?

Griffin se tient la tête à deux mains.

— Il n'y a pas de nouveau rideau!

— Mais tu as dit…

— Oublie ça. Je m'en vais chez Pic.

Chez les Benson, Griffin a droit à un accueil encore moins favorable.

— Dégage, lui dit Pic. Je ne veux plus parler de ça. À partir de maintenant, un *plan*, c'est un mot de quatre lettres et rien d'autre.

— Jette au moins un coup d'œil aux courriels, la supplie Griffin. J'en ai écrit des vraiment très bien pour toi.

Pic ne se laisse pas émouvoir.

— Je ne les lirais pas même si c'était Shakespeare qui les avait écrits. Si Egan nous déteste autant que tu le dis, la dernière chose à faire, c'est de le mettre en colère.

Griffin ne lâche pas prise.

— Alors, il peut nous accuser sans problème, en

plus de vouloir tous nous convertir aux bienfaits des entraînements de football?

— Hé! réplique Pic. J'aime le football, moi. J'aime tous les sports. D'ailleurs...

Sa voix s'éteint et elle se met à fixer le mur derrière Griffin, l'air misérable.

— Quoi?

— Ah, rien, marmonne-t-elle d'un air évasif. Rien d'important.

— Qu'est-ce qui se passe, au juste? demande Griffin. Ça fait des semaines que tu broies du noir! Tu ronchonnais déjà avant la rentrée, quand Darren a commencé à se vanter de...

Il ouvre de grands yeux ronds.

— Pic... Tu as fait les essais pour l'équipe de football, c'est ça? Et tu es fâchée parce que tu n'as pas été recrutée?

— Pire que ça, dit-elle en fixant ses chaussures. Je suis allée aux essais et j'étais aussi bonne que les autres. Pas aussi costaude que Vader et que certains gars de deuxième secondaire, mais j'étais plus rapide et plus en forme. Puis Egan m'a aperçue. Il ne voulait même pas que je reste sur le terrain. Il a dit que les filles ne pouvaient pas jouer au football... que je ne réussirais qu'à me blesser.

Griffin sourit.

— Tu pourrais transformer Vader en salami. Tu

lui as dit, ça, à Egan?

Pic ne sourit pas.

— Ce type est vraiment M. Tyran, Griffin... et ça n'a rien à voir avec les exercices du matin ou avec Celia White. La première partie commence dans quelques heures et ça me rend folle de savoir que je ne jouerai pas. Dans ma tête, il n'y a aucune falaise que je ne peux escalader, aucune paroi qui peut me résister. Mais être une fille... ce n'est pas quelque chose qu'on peut vaincre à coup d'efforts.

— C'est pour ça que tu devrais participer à mon projet, fait valoir Griffin.

— À quoi bon? réplique-t-elle sans enthousiasme. Il ne pouvait pas faire pire que se débarrasser de moi comme d'un vulgaire chiffon sans même me donner ma chance.

Monsieur Egan,
Nous vous écrivons au sujet de Benjamin Slovak, un de vos élèves. Il a été porté à notre attention que le programme de mise en forme de votre école provoque chez son furet domestique le mal des transports...

Ben ne finit même pas de lire le message à l'écran.

— Tu as dit que les courriels seraient anonymes.

— Il est *question* de toi dans le message, mais il ne *vient* pas de toi, lui explique Griffin avec patience. Tu vois, il est signé de la SPCA?

Ben n'est pas convaincu.

— Et tous les autres sont d'accord?

Griffin choisit ses mots avec soin.

— Ils le seront dès qu'ils verront que tu es dans lé coup.

— Pourquoi tu n'admets pas que tu es *le seul* à vouloir faire ça? Même Melissa a refusé, pas vrai?

Griffin a un moment de doute. Melissa-la-timide, toujours réservée, est tellement excitée à l'idée d'avoir des amis que, d'habitude, elle accepte d'emblée toute proposition. Mais cette fois, il n'est pas certain qu'elle va participer. Il se rappelle ses paroles : *Je pense que je vais refuser,* lui a-t-elle dit. *J'aimerais dire oui, mais je dois dire non.*

— Tu connais Melissa, dit-il à voix haute. Elle finira par dire oui.

— C'est différent à présent, fait valoir Ben. On n'aura pas de seconde chance. Tu sais, il y a pire dans la vie que de faire des exercices sous la pluie.

Griffin est catastrophé.

— Dans ce cas, ça veut dire que M. Tyran *gagne.*

— Il *gagnera* de toute façon, Griffin. Il est le directeur. C'est son jeu.

Tout à coup, Ben examine son meilleur ami d'un œil suspect.

— Hé, mon vieux, tu n'aurais pas oublié de mettre ton appareil dentaire, par hasard?

— Non, je l'ai mis ce matin, comme d'hab...

Griffin remarque alors qu'il ne ressent pas l'inconfort si familier de l'appareil.

— *Oh, non!*

Il pousse un cri tellement aigu que Fouineur surgit du col de Ben pour voir ce qui se passe.

Ben essaie de l'aider.

— Es-tu allé chez quelqu'un avant de venir ici?

— Je suis allé chez *tout le monde!* se lamente Griffin. Il a pu tomber n'importe où!

Alors, Ben et Griffin commencent les recherches. Ils scrutent d'abord la chambre de Ben, puis refont pas à pas le trajet de Griffin depuis la porte d'entrée jusqu'en haut de l'escalier. Ensuite, ils retracent la route parcourue à vélo par Griffin pour se rendre de la maison de Melissa, son arrêt précédent, jusqu'à la maison des Slovak. De là, ils retournent sur leurs pas jusqu'à la maison des Benson, puis à celle des Kellerman et enfin à celle des Drysdale. Aucun signe de l'appareil orthodontique.

Griffin est dévasté.

— Je suis cuit! J'étais tellement préoccupé par M. Tyran que j'en ai oublié l'Impitoyable Maman! Quand elle va découvrir que j'ai perdu mon appareil dentaire, elle va me sceller la bouche à la colle extra-forte!

4

En fin de compte la séance de collage n'a pas lieu, mais d'une certaine façon, c'est pire. La mère de Griffin ne lui crie pas après; elle joue la carte de la déception.

— On ne te demande pas grand-chose, Griffin. À vrai dire, on te laisse probablement plus tranquille que la plupart des parents. On est tout de même en droit de s'attendre à ce que tu assumes certaines responsabilités. Pourquoi est-ce si difficile de garder un appareil orthodontique dans ta bouche?

— J'ai encore des chances de le retrouver, suggère-t-il. Savannah dit que Luthor est un bon chien renifleur. Ils vont m'aider à le chercher.

Il essaie d'avoir l'air plus convaincu qu'il ne l'est en réalité. Peu importe l'amour que Savannah porte à son chien, Luthor a été dressé au combat, pas à la recherche ni au sauvetage.

— Comment est-ce que je vais annoncer ça à ton père?

Griffin grimace. Pour aviver son sentiment de culpabilité, sa mère est une championne. Elle parle en long et en large du prix exorbitant de l'appareil orthodontique, de sa nécessité pour sa santé et même pour la forme de son visage. Le fait qu'il soit incapable de garder cet appareil prouve qu'il est irresponsable et indigne de confiance. Pire encore, cela démontre qu'il tient tout pour acquis et qu'il n'a aucune reconnaissance pour tous les bienfaits dont il profite sur cette Terre.

Son discours aurait probablement duré des heures s'il n'avait pas été interrompu par la sonnerie de la porte. C'est Savannah, accompagnée de son fidèle Luthor. L'animal ressemble davantage à un petit poney qu'à un chien.

— Bon, eh bien, on va commencer nos recherches, dit-il sans conviction.

— Excellente idée, répond sa mère d'un ton sévère. Tu ne peux pas rester longtemps sans le porter. Si tu ne le retrouves pas d'ici deux ou trois jours, on devra t'en faire fabriquer un nouveau. Et je peux te garantir que l'argent sera prélevé sur ton argent de poche.

Au montant que je reçois, songe Griffin l'air lugubre, *il me faudra à peu près 80 ans pour le payer*.

— C'est parti! lance-t-il à voix haute.

— On cherche l'appareil dentaire de Griffin, mon chéri.

Savannah sort de sa poche son ancien appareil orthodontique et le place devant les immenses yeux noirs de son chien.

— Tiens, il ressemble à ça.

Elle se tourne vers Griffin et ajoute :

— Souffle ton haleine vers son museau.

— Pourquoi?

— Il doit connaître l'odeur de l'intérieur de ta bouche, lui explique-t-elle calmement. Ça va l'aider à retracer l'appareil quand il sera dans les parages. Assure-toi de souffler en plein dans ses narines.

— Il va m'arracher la tête! proteste Griffin.

— Bien sûr que non, le rassure Savannah. Il veut t'aider.

Griffin observe la tête gigantesque de l'animal. Un filet de bave souligne le bord de son énorme mâchoire. Le garçon se penche et souffle un coup bref devant le gros museau de Luthor.

— Plus près, lui ordonne Savannah. Ouvre grand ta bouche pour qu'il reçoive une vraie bonne bouffée.

Si Savannah voit en son chien la créature la plus douce et la plus gentille de l'univers, Griffin, lui, ne voit pas la même chose. Tout compte fait, un appareil dentaire et quatre-vingts ans d'argent de poche lui semblent un petit prix à payer, si cela peut lui éviter d'être mis en pièces.

Mais la carte de la déception brandie par sa mère pèse lourd sur sa conscience. Il se plante devant le doberman, ouvre grand la bouche et expire longuement.

Luthor pousse un jappement assourdissant qui s'engouffre droit dans la trachée de Griffin et fait vibrer son cœur.

— Bon chien, Luthor! s'écrie Savannah avec entrain. Allez, on le trouve maintenant!

Ils refont le trajet reliant les maisons que Griffin a visitées. Ils doivent courir pour arriver à suivre les enjambées géantes du doberman. Griffin s'est toujours moqué de Savannah quand elle vantait l'intelligence et la sensibilité de Luthor, mais il doit admettre que le chien semble vraiment comprendre ce qu'il doit faire. Il a le nez collé au sol et il renifle la chaussée, tandis que Savannah lui murmure des encouragements.

— Ne le laisse pas mettre l'appareil dans sa gueule quand il le trouvera, avertit Griffin avec nervosité. La bave de chien peut contaminer un appareil dentaire à jamais.

Savannah lui lance un regard sévère.

— Ne dis pas de bêtises. La gueule d'un animal est bien plus propre que celle d'un humain.

— Peut-être, mais elle est plus dégoûtante!

Au moment où ils dépassent la maison des Kellerman pour se diriger vers celle des Benson, les oreilles de Luthor se dressent en réaction à une acclamation joyeuse qui retentit au loin.

Savannah désigne la rue qui mène à l'école

secondaire de Cedarville.

— C'est l'équipe de football… leur première partie. On dirait qu'il y a foule.

— Étonnant, ironise Griffin. M. Tyran en a fait l'annonce que dix fois par jour.

En approchant du terrain, ils aperçoivent un visage familier. Pic est juchée dans un arbre, à dix mètres du sol. Depuis son perchoir au-dessus des gradins bondés, elle regarde la partie. Même de leur point de vue sur le plancher des vaches, Griffin et Savannah devinent qu'elle broie du noir.

— Qui gagne? demande Griffin.

— Qui ça intéresse? répond Pic.

Malgré sa mauvaise humeur, la jeune fille descend et les rejoint sur le trottoir.

— Espérons seulement que Vader ne fera pas un touché, commente-t-elle. On en entendrait parler pendant des siècles.

— Pourquoi tu ne regardes pas la partie sur un siège normal? demande Savannah, perplexe.

— Je ne veux pas donner cette satisfaction à Egan, grommelle Pic. Si notre équipe remporte la partie, ce ne sera pas grâce à moi.

Elle examine la bouche de Griffin et demande :

— Toujours pas retrouvé ton appareil?

— Il nous reste encore quelques endroits à vérifier, lui répond Savannah. Viens, Luthor.

Pic les accompagne. En passant près de l'école, ils ont une bonne vue sur l'action qui se déroule sur le terrain. Les Seahawks de Cedarville tirent de l'arrière 14 à 10, mais ils sont à l'attaque. Après le caucus, les joueurs se dispersent et Darren prend sa place sur le terrain, derrière le quart-arrière. C'est à ce moment qu'il remarque leur présence.

— Hé, les minus! lance-t-il à leur intention, tout en aspirant son protège-dents pour le mettre en place dans sa bouche.

Il n'en faut pas plus à Luthor. Le gros chien s'élance avec force, arrachant la laisse des mains de Savannah.

La jeune fille comprend aussitôt ce qui se passe dans la tête de l'animal.

— Reviens, mon chéri! crie-t-elle. Ce n'est pas l'appareil de Griffin!

Luthor n'entend pas son appel, qui se perd parmi les cris de la foule. Darren a fourré un objet dans sa bouche et cela mérite d'être éclairci. Le chien fonce à toute allure sur le terrain, comme un cheval au galop.

— Darren! Attention! crie Savannah.

Mais Darren est totalement concentré sur le jeu. Il prend le ballon qu'on lui tend, se réfugie à pas rapides derrière un groupe compact, puis traverse la ligne défensive à fond de train. Les cris enthousiastes de la foule sont comme une injection de carburant pour fusée dans ses jambes. Il est maintenant hors de danger et court vers un touché assuré. Aucun défenseur ne lui bloque la route.

Le plaquage surgit de là où il s'y attendait le moins. Comme tombé du ciel, un chien géant se jette sur lui, un monstrueux corps brun et noir qui lui bloque la vue du soleil un instant avant de l'aplatir au sol. Une patte énorme se glisse sous sa visière et lui arrache son protège-dents de la bouche en tirant sur la lanière en plastique. D'un seul coup, des mâchoires puissantes sectionnent la lanière en deux. La bête disparaît aussi vite qu'elle est apparue, emportant le protège-dents.

Pic n'en croit pas ses yeux.

— Dommage que personne n'ait filmé *ça*!

Luthor revient en trottant vers Savannah et dépose le protège-dents abîmé dans sa main.

— C'était bien essayé, mon chéri, dit-elle en lui tapotant la tête d'un air piteux.

M. Egan n'est pas de son avis. Il fonce vers elle, l'équipe des Seahawks sur les talons.

— Qui a laissé ce chien entrer sur le…

Il s'interrompt net en reconnaissant les trois élèves qui encadrent Luthor.

— Ce n'est qu'un terrible malentendu, explique Savannah d'un ton calme. Luthor a aperçu le protège-dents de Darren et il a cru que c'était…

— Je ne veux pas le savoir! hurle le nouveau directeur. C'était une attaque délibérée!

— Monsieur Egan, vous ne pouvez pas blâmer Luthor… intervient Griffin.

— Je ne blâme pas le chien… je vous blâme tous les trois! lance le directeur en tournant son visage empourpré vers Pic. *Toi*, tu as une dent contre l'équipe!

Puis, il s'adresse à Savannah :

— *Toi*, tu dois contrôler ton animal de compagnie!

— Ce n'est pas un animal de compagnie, c'est un membre de ma famille…

— Et *toi*… poursuit le directeur en dirigeant toute sa rage vers Griffin. Tu es le chef de bande de ces jeunes délinquants, mais tes beaux jours s'achèvent, mon garçon! Entraîner un animal pour qu'il attaque quelqu'un, c'est comme utiliser une arme.

— Qu'est-ce qui se passe ici?

Une grande femme aux allures d'oiseau se fraie un chemin à travers l'attroupement. Elle scrute les visages un à un par-dessus son nez en forme de bec. Elle a un carnet à la main et garde son crayon en suspens, comme une menace.

— Qui a lâché un chien sur ce pauvre garçon sans défense? demande-t-elle en passant un long bras osseux autour des épaules de Darren.

Griffin sent son cœur se serrer. Parmi tous les spectateurs de la partie de football qui ont été témoins de « l'attaque » de Luthor, il fallait qu'il y ait… Celia White. Il reconnaît la femme dont la photo paraît chaque semaine en haut de sa chronique dans le *Herald.*

Et elle le reconnaît aussi.

— Griffin Bing… Est-ce que le chien t'appartient?

— Il est à moi, intervient aussitôt Savannah, et il n'a rien fait de mal.

La journaliste sort son téléphone cellulaire et déclare :

— Et si je contactais la fourrière pour leur demander leur opinion? Si je ne me trompe pas, la loi stipule qu'un chien qui attaque les citoyens doit être euthanasié.

Sonnée par ce qu'elle vient d'entendre, Savannah devient blanche comme un drap et se met à tituber légèrement.

— C'est bon, c'est bon. On se calme. Personne ne sera euthanasié, dit le directeur en fusillant Griffin du regard. Pour le moment.

— Et mon échappée dans tout ça? demande Darren qui, à part un chandail crotté, s'en tire plutôt bien. J'étais sûr de faire un touché quand le cabot s'est jeté sur moi!

C'est l'arbitre qui a la réponse.

— Le jeu n'a jamais eu lieu. On a sifflé pour l'annuler, vu la présence d'une personne non autorisée sur le terrain.

— Ce n'était pas une personne, c'était un chien! Et

il m'a volé mon touché! se plaint Darren.

— Ne t'en fais pas, jeune homme, lui promet Celia White. Lundi prochain, tout le monde saura en détail ce qui t'est arrivé en lisant ma chronique.

Elle lance un regard mauvais à Griffin, puis repart vers les gradins de sa démarche d'oiseau, écrivant rageusement.

M. Egan réserve sa furie pour ses élèves.

— Je veux que vous trois et ce chien, vous quittiez immédiatement mon terrain. Et à l'école, si je vois l'un d'entre vous commettre le moindre faux pas, je vous garantis que ça va mal aller.

Griffin croise les regards désemparés de ses deux amies. Ça allait déjà mal.

Et ça ne fait qu'empirer.

5

Lundi matin, le cadran n'a plus que six heures à égrener avant de sonner la fin du monde. Si l'appareil orthodontique ne réapparaît pas comme par magie avant la fin de l'école, il faudra en commander un nouveau à un coût exorbitant.

Debout au pied de l'escalier dans la maison des Drysdale, Griffin crie :

— Sinon, mes dents risquent de se désaligner à nouveau. Pour être honnête, je préférerais avoir les dents de travers plutôt que d'avoir encore affaire à ma mère.

Mme Bing a terminé d'exprimer sa déception haut et fort. Maintenant, elle se contente de soupirer. C'est assez incroyable de constater tout ce qu'elle peut dire sans prononcer un seul mot.

En route pour l'école, Griffin s'est arrêté chez Savannah dans l'espoir que Luthor ait retrouvé son appareil durant la fin de semaine. Si le doberman peut repérer le protège-dents de Darren à vingt mètres de distance, il a de bonnes chances de tomber sur le vrai.

— Désolée, Griffin, on n'a même pas eu la chance de le chercher.

Savannah descend l'escalier, Luthor à ses côtés. Cléopâtre, son singe, glisse le long de la rampe, puis saute à califourchon sur le cou musclé du chien.

— Le rat est toujours ici. On vit un vrai cauchemar. Lorenzo a viré au rose... ce qui est le plus rouge qu'on puisse devenir quand on est albinos, explique-t-elle en balançant son sac à dos sur son épaule.

Tout à coup, Luthor pousse un de ses jappements qui fait résonner les poutres de la maison. Il s'approche d'elle et tire sur son sac.

— Tu vois à quel point ils sont contrariés? fait-elle remarquer à Griffin. Il a pourtant l'habitude que je parte pour l'école, mais depuis qu'un rat se terre dans la maison, tous les animaux sont énervés. Ça suffit, Luthor. Je vais revenir bientôt.

Le gros doberman se met à gémir. Très agitée, Cléopâtre bondit partout et jacasse à qui mieux mieux. Leurs yeux sont rivés sur le sac à dos de Savannah.

Il y a quelque chose là-dedans qui les agace.

Tout au long de la journée, le regard désapprobateur de M. Egan semble suivre Griffin partout où il va. Le garçon est soulagé de sortir de l'école... du moins jusqu'à ce qu'il aperçoive sa mère, qui l'attend en file dans le stationnement. La fin du monde vient officiellement de sonner. Il est temps de commander un nouvel appareil orthodontique.

Un peu plus tard cet après-midi-là, Griffin ramasse des feuilles mortes dans la cour. Il se démène pour en soulever une énorme brassée, avance d'un pas chancelant jusqu'au sac poubelle et les fourre dedans, en envoyant du même coup une bonne moitié à l'extérieur du sac. Les feuilles voltigent et retombent dans l'herbe.

— Tu es toujours vivant, dit Ben en poussant la barrière.

La tête de Fouineur sort par son col. On dirait une décoration sur son capuchon.

— Ça, c'est toi qui le dis, répond Griffin en grimaçant. Attrape donc l'autre râteau et donne-moi un coup de main.

— Tu ne penses pas que tes parents vont être furieux s'ils voient que *je* t'aide. C'est ta punition. Non?

— Ce n'est pas une punition. C'est le premier versement de mon remboursement. Je devrais avoir remboursé ma dette autour de Noël... 2029. À Pâques, au plus tard.

Ben empoigne le deuxième râteau et se met à ratisser les feuilles.

— Est-ce que ta mère était pas mal en colère?

— Pas tant que ça. Elle a été tellement fâchée ces derniers temps qu'il ne lui restait plus beaucoup de colère pour aujourd'hui. Elle a vite atteint son maximum.

Ben dépose une pleine brassée de feuilles dans le sac.

— Et ton père?

Griffin hausse les épaules.

— Ces temps-ci, il est pas mal distrait à cause du Zéro-Mulot.

M. Bing est l'inventeur de matériel ultramoderne pour la récolte dans les vergers, comme le Ramasseur futé[MD] et le Rolo-Cageot[MD]. Sa dernière invention, le Zéro-Mulot[MD], est un piège électronique conçu pour protéger les arbres de la vermine des vergers.

— Ton père est un génie, c'est certain, commente Ben, mais après deux inventions formidables, c'est normal qu'il connaisse des ratés avec la dernière.

— Elle fonctionne à merveille, rétorque Griffin. Une fois le mulot pris au piège, le capteur se déclenche et la porte se referme en moins d'un dixième de seconde.

— Où est le problème alors?

— Les mulots n'entrent pas dans le piège, explique Griffin. On dirait presque qu'ils ont deviné son utilité. Mon père a tout essayé pour les y attirer, mais c'est l'impasse. Ils se comportent comme si c'était une zone interdite. Qui aurait cru que les mulots étaient aussi difficiles concernant les endroits qu'ils fréquentent?

Ben dépose son râteau.

— Je ne veux pas aggraver ta mauvaise humeur,

mais la nouvelle édition du *Herald* est arrivée aujourd'hui.

Il sort le journal de son sac à dos et le tend à Griffin. Le gros titre claironne :

L'ATTAQUE D'UN CHIEN MALFAISANT ANNULE LE TOUCHÉ VICTORIEUX
par Celia White

C'est toute la furie sauvage du royaume animal qui a déferlé sur un inoffensif événement sportif tenu à l'école secondaire, samedi...

— Savannah ne va pas aimer ça, prédit Ben d'un ton lugubre.

Griffin lit rapidement l'article. Si elle condamne surtout Luthor en le décrivant comme un danger public, la journaliste réserve tout de même un traitement de faveur à Griffin et à ses amis :

La loi sur la protection de la jeunesse empêche notre journaliste de révéler les noms des coupables, mais soyez assurés que les délinquants qui ont entraîné le chien à attaquer sont exactement les mêmes que les responsables de la récente anarchie locale. Il ne tient qu'à nous, citoyens de Cedarville, de nous insurger contre de tels comportements si nous ne voulons pas en subir de nouveaux dans l'avenir.

— Ma mère pense que ce qu'écrit Celia White sort tout droit du grand oracle de la vérité de l'univers, commente Ben d'un air sombre.

L'Homme au Plan, lui, est d'avis que les jeunes peuvent et doivent parfois s'opposer au monde des adultes. Et voilà qu'un directeur règne en maître absolu sur son école et qu'une journaliste a toujours le dernier mot.

Il faut faire quelque chose.

Mais quoi?

6

Le ciel est rempli de gros nuages noirs quand Griffin et Ben arrivent à l'école, mais la menace d'un orage n'est rien comparée aux éclairs dans les yeux de Savannah.

Elle les attend devant l'entrée principale.

— Vous ne *croirez* jamais qui est venu chez moi hier! rage-t-elle. La fourrière! Ils ont lu la chronique de Celia White! Ils pensent que Luthor est dangereux!

Griffin et Ben échangent un regard affligé. Ils sont plus que complètement d'accord avec la fourrière, mais jamais ils n'oseraient l'admettre devant Savannah.

Ben s'éclaircit la gorge avec soin.

— Est-ce qu'ils l'ont bien regardé?

— Bien sûr! s'indigne Savannah. Et ces supposés experts animaliers n'ont pas su voir à quel point il est gentil. Comment peut-on fixer ces beaux grands yeux et ne pas y voir de la douceur et de la compassion?

Griffin ignore le regard ahuri de Ben et se tourne vers Savannah.

— Alors, qu'est-ce qui va se passer?

— On a le droit de le garder dans la maison et dans la cour, pourvu que la barrière soit fermée. Mais s'il est pris à se promener en dehors de notre propriété sans un harnais complet et une muselière, il peut nous être confisqué. C'est le mot qu'ils ont utilisé : *confisqué*. Comme s'il était une cargaison de bananes en provenance d'Amérique du Sud.

— Regarde le bon côté des choses, suggère Ben sans trop y croire, en entrant dans l'école.

— Comment est-ce qu'il pourrait y avoir un bon côté à ça? s'écrie Savannah en se tournant brusquement vers lui. Luthor est une créature forte, libre et pleine de vie, qui a besoin de grands espaces pour courir et explorer! Pour lui, c'est comme être condamné à la prison!

— Exactement, explique Ben. Tout a été de travers cette année.

— Et c'est ça, le bon côté? questionne Griffin, en haussant un sourcil.

— Mais oui, raisonne Ben. Admets que les choses pourraient difficilement être pires.

Un hurlement à figer le sang retentit dans l'école. Les conversations cessent net. Tout le monde se fige. Aussitôt le silence se fait, seulement brisé par le bruit de quelques manuels de classe tombant par terre. Fouineur surgit par le col de Ben et observe les alentours avec inquiétude.

Des têtes se tournent vers la provenance du bruit. Des centaines de paires d'yeux inquiets scrutent le corridor qui mène au secrétariat. C'était un cri primitif, d'horreur pure. Qu'est-ce qui se passe dans leur école?

Ben blêmit d'un seul coup.

— C'était quoi *ça*?

— Venez!

Griffin prend les devants. Il se rue dans les corridors, bousculant des élèves atterrés. Suivi de ses amis, il dépasse la cafétéria, puis tourne le coin pour rejoindre l'entrée principale.

Une petite foule se forme déjà devant la vitrine centrale. Les jeunes désignent quelque chose et chuchotent avec insistance. M. Clancy fait de son mieux pour tenir le groupe à distance. De grosses gouttes de sueur coulent le long de son bandeau bleu et blanc.

M. Egan sort en trombe de son bureau, dans un état d'agitation avancé.

— Poussez-vous! hurle-t-il, en écho au cri précédent.

Il se fraie un chemin à travers la foule et tente de déverrouiller la serrure de la vitrine, passant une après l'autre les clés accrochées à un gros anneau.

Griffin arrive sur les lieux.

— Qu'est-ce qui s'est passé? demande-t-il à un grand qui semble avoir un bon point de vue sur la situation.

C'est Tony Bartholomew.

— Quelqu'un a volé la bague du Super Bowl, répond l'élève de deuxième secondaire en colère. *Ma* bague du Super Bowl!

— Comment? demande Ben en observant le directeur affolé, qui cherche toujours la bonne clé. La vitrine est verrouillée.

— Qu'est-ce que j'en sais, moi? répond Tony d'un ton grave. Tout ce que je sais, c'est que quelqu'un m'a chipé ma bague du Super Bowl.

Le directeur réussit enfin à déverrouiller la vitrine. Il fait glisser le panneau en verre, puis plonge la main à l'intérieur du caisson. Griffin se faufile jusqu'à l'avant pour mieux voir.

La vue est plus nette, mais pas meilleure. C'est bien vrai : la bague du Super Bowl d'Art Blankenship a disparu. Toutefois, un petit objet repose à sa place sur le velours noir... un objet en plastique rose avec un fil métallique brillant. C'est...

Griffin écarquille les yeux. Non. C'est impossible...

M. Egan referme son énorme main sur l'objet. Il le sort de la vitrine et l'examine. Puis, son regard furieux balaie la foule et s'arrête sur Griffin.

Griffin est sous le choc. Il fixe l'objet, n'en croyant pas ses yeux.

— Qu'est-ce que c'est? murmure Ben, trop petit pour voir ce que tient le directeur.

— Un appareil orthodontique, dit Griffin d'une voix étranglée.

Cinq lettres sont gravées sur le palais en plastique :

G. BING

— Redonne-moi la bague, ordonne le directeur. Immédiatement.

— Je ne l'ai pas. Je ne l'ai pas prise.

Griffin a du mal à rassembler l'air nécessaire pour prononcer ces simples mots.

— Dans ce cas, comment expliques-tu la présence de ton appareil dentaire? demande M. Egan. Depuis le premier jour d'école, chaque fois que tu ouvres la bouche, ce machin en tombe. Tu aurais dû garder la bouche fermée pendant que tu volais la bague! À présent, ton appareil est la preuve que tu es le coupable.

— Je suis innocent! La vitrine était verrouillée!

— Ce n'est pas un problème pour un cambrioleur expérimenté, l'accuse le directeur. Ça ne t'a pas arrêté dans le passé, n'est-ce pas?

Plusieurs fois, l'Homme au Plan a été confronté à l'imprévu. Plusieurs fois, il a été surpris, étonné, stupéfié même. Mais jamais il ne s'est senti aussi complètement et aussi parfaitement décontenancé, au point d'être incapable de trouver les mots pour se défendre. Il continue à fixer l'appareil dentaire. Il n'en croit pas ses yeux. Il peut difficilement en vouloir à M. Egan de l'accuser : avec une preuve pareille, Griffin se sent même presque coupable.

— J'ai perdu mon appareil orthodontique il y a quelques jours, finit-il par dire. Demandez à n'importe qui. Tous mes amis sont au courant.

— Tous tes complices, tu veux dire? réplique le directeur sur un ton de défi. Ce ne sont pas les témoins les plus fiables qui soient.

— C'est un coup monté! Quelqu'un a dû le trouver et l'a mis dans la vitrine pour me faire accuser!

— Tout ce que je sais, reprend M. Egan, c'est qu'un objet important de l'histoire du sport a disparu, un bijou qui vaut des dizaines de milliers de dollars. Si tu ne le rends pas, je vais devoir rapporter cette histoire à une instance supérieure.

Tout ce que Griffin parvient à dire, c'est :

— Ce n'est pas moi.

Le directeur s'adresse à ses élèves.

— Retournez tous à vos casiers. Cette histoire ne vous concerne pas.

Son regard furieux tombe sur Ben et Savannah. Par solidarité, Pic, Melissa et Logan se rapprochent de leurs amis.

— Et j'espère *vraiment* que cela ne concerne aucun d'entre vous.

Il conduit Griffin dans son bureau et claque la porte derrière eux.

— Lottie, lance-t-il à sa secrétaire, appelle la police.

7

Ce n'est pas la première fois que le sergent-détective Vizzini se rend chez les Bing. Il est venu lors de l'enquête sur le vol de la carte de Babe Ruth, puis suite à l'évasion massive des animaux du zoo flottant.

Ses yeux sombres balaient la cuisine, qui lui est déjà familière.

— Nouveaux rideaux. Jolie couleur, dit-il en connaisseur. Ça fait ressortir le boisé des armoires.

— Merci, répond Mme Bing d'une voix inquiète.

Elle répond comme un robot. En ce moment, les rideaux sont le dernier de ses soucis.

— Monsieur l'agent, je sais que Griffin a eu des ennuis par le passé, mais cette fois, il dit la vérité. Cela fait déjà quelques jours qu'il a perdu son appareil orthodontique... bien avant que la bague ait disparu.

— Je vous crois, dit Vizzini en hochant la tête.

M. Bing fronce les sourcils.

— Dans ce cas, pourquoi êtes-vous ici? En quoi Griffin est-il concerné?

— Eh bien voici, répond le policier. Je vous crois quand vous affirmez que c'est ce que votre fils vous a dit. Mais vous a-t-il dit la vérité... ça, c'est une autre

51

histoire.

— Pas du tout! s'exclame M. Bing, triomphant. On a commandé un nouvel appareil orthodontique. C'est une preuve en béton! Vérifiez vous-même avec l'orthodontiste.

— C'est déjà fait, répond l'agent Vizzini en ouvrant son calepin à spirale. La demande est partie du bureau du Dr Torelli avec le courrier du soir, hier, après la fermeture... c'est-à-dire à peu près en même temps que le cambriolage à l'école.

Griffin ouvre la bouche pour la première fois.

— Vous pensez qu'après avoir volé une bague, j'ai filé tout droit chez l'*orthodontiste*?

— Le bureau est ouvert en soirée les lundis et les jeudis, déclare le détective en lisant ses notes. Hier soir, le dernier patient est parti à... voyons voir... vingt-et-une heures vingt-deux.

— C'est insensé! s'exclame M. Bing. On ne commande pas un appareil dentaire à quatre cents dollars sans avoir pris le temps de chercher l'ancien!

— À moins de vouloir se fabriquer un alibi pour le vol d'un objet qui vaut bien plus encore, réplique Vizzini.

M. Bing ouvre de grands yeux incrédules.

— Vous ne l'accusez pas seulement de cambriolage! Vous l'accusez aussi de se servir de ses parents pour dissimuler son méfait!

Le détective s'appuie au dossier de sa chaise, l'air soudainement fatigué.

— Une des premières choses qu'on nous enseigne à l'école de police, c'est de toujours voir la situation dans son ensemble. On ne peut pas se limiter à une seule version du crime.

— On parle d'un garçon de douze ans, pas d'Al Capone! explose le père de Griffin.

— Un garçon de douze ans qui a déjà réussi à faire passer pour des clowns plusieurs supposés experts. Comme moi, par exemple. Considérant le comportement de Griffin par le passé, peut-on sincèrement exclure la possibilité qu'il soit coupable?

Les parents de Griffin hésitent.

Griffin, lui, est en plein cauchemar. Ses parents savent qu'il a perdu son appareil orthodontique depuis la semaine dernière!

— Ce n'est pas moi, dit-il d'une toute petite voix.

— Peut-être, dit posément le policier. C'est vrai que je n'arrive pas à m'expliquer comment tu as eu accès à la vitrine. La serrure ne montre aucun signe d'effraction et M. Egan affirme qu'il détenait toutes les clés. Est-ce que cela signifie que tu n'es pas coupable? Tu es un garçon ingénieux, Griffin Bing. Je prendrais un risque en te sous-estimant. Et crois-moi, ce n'est pas un compliment.

— Nous soutenons notre fils, détective Vizzini,

répond Mme Bing d'un ton ferme.

Le policier soupire.

— Bon, voici ce qui va se passer. On fouille votre maison pour voir si la bague y est. Ça devrait se faire assez vite étant donné que mes hommes connaissent déjà les lieux. Pendant ce temps, Griffin doit se présenter devant un juge…

— Vous n'y allez pas un peu fort? s'inquiète M. Bing.

— Y aller fort, répond Vizzini, c'est une caractéristique de votre fils. De toute façon, il ne s'agit que d'une séance préliminaire pour fixer la date de l'audience.

— C'est encore pire! laisse échapper Griffin.

Vizzini reste de marbre.

— Dès le début, une dizaine de policiers t'a dit que ta chance tournerait un jour. Tu pensais qu'on blaguait? Un agent, ça n'a pas autant d'imagination.

En revanche, un agent c'est ponctuel. Moins d'une heure après, six policiers en uniforme fouillent dans les tiroirs, tapent sur les murs, scrutent les armoires et passent des détecteurs de métal le long des plinthes pendant que les Bing attendent dehors, sur la pelouse.

— Allez Griffin, donne-nous un petit avant-goût, demande son père d'un ton las. Ont-ils la moindre chance de trouver la bague?

— Bien sûr que non! réplique vivement Griffin. Je

pensais que vous me croyiez!

— Mais oui, on te *croit*, dit aussitôt sa mère pour l'apaiser. C'est juste que la plupart des parents n'ont pas à vivre ce genre de situation une seule fois dans leur vie... Notre rue commence à ressembler au stationnement du poste de police du quartier.

— Cette fois, c'est différent, insiste Griffin. Peu importe ce qui est arrivé à la bague, je n'ai rien à voir avec cette histoire.

L'audience préliminaire est fixée au lendemain, à dix heures. Tout dans le palais de justice semble avoir été conçu pour que Griffin s'y sente tout petit : l'imposant immeuble en pierre, les hautes colonnes en marbre, les postes de sécurité où les gardes en uniforme obligent les visiteurs à passer sous un détecteur de métal, comme dans un aéroport.

Il y a des agents de police partout, ainsi que des juges, des jurés, des avocats et des gens qui subissent leur procès, certains avec des menottes aux poignets.

— Je ne suis pas à ma place ici, dit Griffin à ses parents.

Dans l'atrium au plafond élevé, sa voix sonne aussi aiguë que celle d'un enfant de quatre ans.

— Ne te fais pas de souci, lui répond son père d'un ton grave. Tu n'as pas pris la bague du Super Bowl, alors la seule chose que tu dois faire, c'est dire la vérité.

Son père essaie d'avoir l'air optimiste et positif, mais quand il s'éloigne pour demander où se trouve la salle d'audience 235, il a l'air d'un condamné à mort.

Ils trouvent enfin la salle. Leur avocat, Dalton Davis, de chez Davis, Davis et Yamamoto, est déjà sur place. Son expression reflète exactement l'état d'esprit de Griffin : très grave et très sérieux. Assis tous les quatre sur un banc en bois dur, ils passent les quarante-cinq minutes les plus longues de l'existence de Griffin, à attendre leur tour pour comparaître devant le juge.

Les choses ne se passent pas exactement comme dans les émissions judiciaires à la télévision. Il n'y a ni procureur ni témoins. En fait, les seules autres personnes présentes sont la juge Koretsky elle-même et une sténographe aux doigts vifs comme l'éclair, qui retranscrit chaque bruit, y compris les « hu-hum! » et les gargouillements d'estomac.

La juge Elaine Koretsky est une femme incroyablement trapue, probablement dans la cinquantaine avancée. En dépit de sa petite taille, elle est l'incarnation du pouvoir et de l'autorité. Elle passe quelques minutes à regarder les papiers d'un dossier avant d'accorder son attention à Griffin.

— Raconte-moi donc ta version des faits.

— Eh bien, commence Me Davis, tel que nous

espérons l'avoir établi...

— Je préférerais entendre la version de Griffin, l'interrompt la juge.

C'est la énième fois que Griffin raconte son histoire. Il devrait la savoir par cœur à présent, mais il se met à bafouiller en voyant la juge s'assombrir de plus en plus.

Quand il a terminé, elle lui pose la seule question pour laquelle il n'a pas de réponse :

— Alors dis-moi, comment ton appareil orthodontique s'est-il retrouvé dans la vitrine, à la place de la bague?

— Je l'ignore, admet-il en rougissant. Tout ce que je sais, c'est que ce n'est pas moi qui l'ai mis là.

Ce n'est pas que la juge soit déplaisante, mais ses paroles ont l'effet d'une bombe.

— Tu es convaincant, mais la preuve contre toi l'est tout autant... surtout si l'on tient compte de tes comportements passés.

— Griffin n'a jamais été condamné pour aucun crime, s'empresse d'intervenir Me Davis.

— Peut-être, réplique-t-elle, mais au poste de police, il figure parmi les questions régulières de leur jeu-questionnaire. Je fixe donc l'audience au 29 octobre. Si jamais la bague refaisait surface d'ici là, cela nous simplifierait beaucoup la vie à tous. Spécialement à toi, Griffin.

Griffin parvient seulement à hocher la tête.

— En attendant, poursuit la juge Koretsky, je vais avertir la commission scolaire de ton retrait de l'école secondaire de Cedarville. D'ici à ce que cette affaire soit résolue, tu fréquenteras le centre d'éducation alternative TE.

Griffin est atterré.

— Vous parlez de *Taule pour Enfants*?

La juge lui lance un regard désapprobateur.

— Ça n'a rien à voir avec une prison. Je sais ce qu'est une prison et, crois-moi, tu ne veux pas le savoir. TE est un programme alternatif pour les élèves du secondaire dans le comté. Les jeunes y sont pour diverses raisons : éducatives, sociales, comportementales et judiciaires.

M. Bing se lève.

— Que faites-vous de la présomption d'innocence?

La juge sourit.

— Elle existe toujours. Ceci n'est pas une sentence. Je pense simplement que c'est une bonne idée de sortir Griffin du milieu où son problème semble prendre de l'ampleur.

— Et mes amis, alors? s'inquiète Griffin.

— Tu as peut-être besoin de t'éloigner un peu d'eux également. Et vice versa, conclut-elle en officialisant le tout d'un coup de marteau sonore. L'audience est ajournée jusqu'au vingt-neuf octobre.

8

Même Fouineur, qui risque un œil depuis le col de Ben, a l'air abattu.

Griffin et Ben, meilleurs amis depuis la maternelle, se tiennent au coin de la rue et attendent l'autobus de TE qui viendra mettre un terme à leur longue fréquentation ininterrompue de la même école.

— Taule pour enfants, gémit Ben. Je n'aurais jamais pensé qu'un de nous devrait y aller un jour. Alcatraz peut-être, mais pas TE…

Sa tentative de blague ne réussit même pas à faire sourire Griffin.

— Je n'arrive pas à y croire! C'est tellement injuste! Je croyais qu'en Amérique, c'était le genre de choses qui ne pouvait jamais arriver!

Un autre élève de TE les rejoint à l'arrêt, de toute évidence, un grand de quatrième ou cinquième secondaire. Il mesure au moins deux mètres et porte la barbe. On voit même une touffe de poil sur sa poitrine par l'ouverture de sa chemise. Pour Ben, qui est petit et maigrichon, le corps massif de l'adolescent suffit à lui faire de l'ombre.

Le nouveau venu les regarde sans trop d'intérêt.

— Nouvelles victimes?

— Juste lui! couine Ben en désignant Griffin.

De toute sa hauteur, le jeune homme évalue Griffin d'un coup d'œil rapide.

— Mes boutons sont plus gros que toi.

— C'est une erreur, marmonne Griffin. Je ne suis pas censé être ici.

— Ouais… pareil pour moi. J'étais innocent. Les six fois.

Griffin et Ben reculent tous deux d'un pas et manquent de tomber du trottoir.

— Tu sais le plus bizarre dans tout ça? demande Ben en se penchant vers son ami. C'est la façon dont ton appareil dentaire égaré s'est retrouvé à la place de la bague. Tu y as réfléchi?

— Tu veux rire? Je n'ai fait que ça, y réfléchir. C'est pour ça que personne ne me croit : parce qu'ils ne comprennent pas comment ça a pu arriver si ce n'est pas moi qui l'ai fait.

— Alors, comment ça a pu arriver?

— C'est un coup monté.

Ben le fixe sans rien dire.

— Tu sais bien! s'exclame Griffin. Un coup monté! Un piège! Une ruse! Celui qui a volé la bague a aussi trouvé mon appareil et l'a laissé dans la vitrine pour que je sois accusé.

— Mais qui a pu faire une chose pareille? demande

Ben, éberlué.

— Ça, je ne sais pas encore, répond Griffin, mais ça va venir. Je le jure.

Les deux garçons sont surpris de voir un autobus scolaire jaune, tout ce qu'il y a de plus normal, s'arrêter dans un bruit de ferraille.

Leur compagnon s'amuse de leur air ahuri.

— Vous vous attendiez à quoi? Un panier à salade?

Après avoir jeté un dernier regard désespéré à son meilleur ami, Griffin suit le grand barbu à bord de l'autobus.

La porte se referme d'un coup sec et le véhicule s'éloigne dans un vrombissement, laissant sur le trottoir un Ben rongé par la culpabilité. En ce moment terrible, la seule chose à laquelle il pense, c'est à quel point il est heureux que ce ne soit pas *lui*, le passager en route pour la *Taule pour Enfants*.

Le centre d'éducation alternative Thomas Edison est installé dans l'ancienne bibliothèque municipale de Cedarville et accueille 187 élèves, de la première à la cinquième secondaire.

Il serait faux d'affirmer que chaque enfant qui le fréquente est un délinquant juvénile. On y retrouve une variété d'élèves à besoins particuliers et d'autres qui ont simplement de la difficulté à fonctionner dans une école ordinaire. Mais la majorité des élèves confirme les rumeurs qui circulent à propos de l'endroit. C'est le dépotoir où l'on envoie la pire vermine du comté.

Griffin s'attendait à détester l'endroit… mais il n'avait pas prévu le détester autant. Il est le plus jeune, le plus petit et le plus maigrichon de tous les élèves. Par chance, il n'y a pas de problèmes d'intimidation à TE. Les enseignants sont encore plus coriaces que les élèves et ils donnent l'impression d'être partout, comme des espions. Dès sa première journée, Griffin est témoin d'une bagarre. Avant que le premier coup de poing n'ait atteint sa cible, deux enseignants se sont jetés sur les combattants et les ont séparés. On dirait presque que les enseignants devinent ce que les élèves vont faire avant même qu'ils ne le fassent.

Les cours, c'est n'importe quoi. Les enseignants se soucient seulement de maintenir l'ordre et les élèves ne se soucient de rien du tout. Il y a toujours un tiers de la classe qui dort. La seule question jamais posée est : « Est-ce que je peux aller aux toilettes? »

Si je reste ici trop longtemps, je vais devenir complètement niaiseux…

Cette pensée est remplacée par une autre, encore plus sombre. S'il est reconnu coupable du vol de la bague du Super Bowl, TE sera Disney World comparé au centre de détention juvénile dans lequel il sera envoyé.

Quand ma vie est-elle devenue un tel enfer?

Dans le fond, ce n'est pas si grave si on ne lui enseigne rien ici parce qu'il est bien trop angoissé pour se concentrer. Il doit faire cesser cette folie. Il est l'Homme au Plan, après tout! Il ferait mieux d'utiliser ce temps libre pour élaborer une stratégie qui le laverait de tout soupçon.

Il ouvre son cahier à une page blanche (elles le sont toutes) et y griffonne en haut :

OPÉRATION JUSTICE

BUT : Découvrir qui m'a PIÉGÉ.
Liste des SUSPECTS :
(i) ...

Soudain, quelqu'un arrache la feuille. En un rien de temps, Griffin voit un avion en papier traverser la classe et filer vers l'enseignant.

Sans réfléchir, il se lève et le poursuit dans l'allée. Deux personnes s'amusent à le faire trébucher, mais il réussit à continuer sa course, la main désespérément tendue vers le missile. Personne ne doit trouver de preuve qu'il travaille à un plan. Il est déjà suffisamment dans le pétrin.

Son pied atterrit dans la corbeille à papiers. Sa chute aurait pu être spectaculaire, mais l'enseignant réussit à attraper Griffin d'une main et l'avion de l'autre. Son exploit lui vaut une acclamation peu enthousiaste des élèves de la classe... de loin la plus grande expression d'enthousiasme que Griffin ait vue au cours de sa journée.

Comme la plupart des enseignants à TE, M. Huber est musclé et costaud, un hybride, enseignant (10 %) et gardien de prison (90 %). Il sort le pied de Griffin de la corbeille, y laisse tomber l'avion en papier et se contente de prononcer deux mots :

— Assieds-toi.

— Mais je voulais...

En balayant la pièce du regard, Griffin se rend compte qu'il ne sait absolument pas qui a pu lui faire ça.

— Assieds-toi, répète l'enseignant.

À présent, il n'ose plus travailler à son plan. Il décide de mettre son cerveau en veille et d'écouter le cours jusqu'à la fin. Il se souvient d'avoir appris cette matière en cinquième année. Peut-être même en quatrième.

Au moins, il peut se réjouir d'une chose : personne n'a remarqué ce qu'il avait écrit sur la feuille qui a servi à faire l'avion en papier.

Du moins, c'est ce qu'il croit.

— Hé, Justice! fait une voix juste derrière lui dans le corridor.

Griffin continue à regarder droit devant lui et

presse le pas vers son prochain cours.

— Hep! le nouveau! Je te parle.

Oh, non! Griffin se retourne et tombe nez à nez avec un garçon du type bouledogue. Il est trapu, plus petit que lui, mais aussi plus lourd d'au moins quinze kilos. Le garçon ressemble à un culturiste nain, le cou aussi large qu'un tronc d'arbre et la chevelure en brosse, ce qui lui fait la tête comme un bloc de ciment.

— Oui? répond Griffin, qui ne veut surtout pas déclencher quoi que ce soit avec ce gros paquet de muscles.

— Opération Justice… c'est quoi l'histoire?

— Je ne sais pas de quoi tu parles, répond sèchement Griffin.

Comme s'il allait discuter avec la personne qui a volé sa feuille et l'a envoyée à l'autre bout de la classe.

— Je parle de comment t'as été piégé, insiste le garçon. Toi et tous les autres ici. Penses-y un peu : l'école est remplie de jeunes qui ont des ennuis. Mais personne ne mérite vraiment de se retrouver ici. Ils ont tous été piégés, exactement comme toi.

Lâche-moi, supplie Griffin en silence, les yeux fixés sur une tache du mur, derrière les épaules massives du garçon.

L'imposant inconnu lui emboîte le pas.

— Moi, par exemple, dit-il. De tous les élèves, je suis le seul qui ait de bonnes raisons d'être ici. Tout ce qu'on peut lire dans mon dossier est vrai. Je suis un méchant. Qu'est-ce que je peux y faire?

Tu peux t'en aller et me laisser tranquille, songe Griffin... qui est bien trop intimidé pour le lui dire.

Le garçon se plante devant lui :

— Sheldon Brickhaus. Mes amis m'appellent Shank... enfin, si j'avais des amis, c'est comme ça qu'ils m'appelleraient.

Il s'empare de la main de Griffin et l'écrase de toutes ses forces.

— Hé! Ça fait mal!

Shank sourit et resserre sa poigne.

— Tu vas bien me dire *ton* nom?

— Griffin. Griffin Bing.

— Ravi de te rencontrer, Griffin Bing, dit Shank en gardant la main de Griffin dix bonnes secondes de plus.

Quand Griffin la récupère enfin, elle est rouge et douloureuse.

— Je dois aller à mon cours d'anglais, grommelle-t-il.

— Anglais? Super. Moi aussi. Il n'y a pas beaucoup d'élèves du début du secondaire ici. Je parie qu'on sera ensemble toute la journée.

— Sûrement, acquiesce Griffin en essayant de ne pas laisser sa voix trahir sa déception.

Qu'est-ce qui est pire que d'être privé de sa vie

normale et d'être précipité dans un endroit où on ne connaît personne?

Réponse : Se faire des « amis » dont on ne veut pas.

Heureusement, Griffin peut toujours compter sur ses vrais amis. Quand sa journée à Taule pour Enfants est enfin terminée, il réunit toute l'équipe dans son garage. Ils s'assoient à l'ombre d'une douzaine de prototypes différents du Zéro-Mulot, qui emplissent les tablettes et encombrent l'établi.

Tandis que Griffin fait entrer en catimini les membres de l'équipe, Pic fronce les sourcils devant les enclos en grillage.

— Sans vouloir vexer ton père, je crois que la cage à oiseau existe déjà.

— Ce ne sont pas des pièges à oiseaux, mais à mulots, explique Griffin. Chaque année, des centaines de vergers perdent leur récolte à cause des ravages causés par les mulots.

Savannah, la grande amie des animaux, jette un regard désapprobateur aux pièges.

— J'espère qu'ils sont sans cruauté pour les bêtes. Ce n'est pas parce qu'un animal est nuisible qu'il doit souffrir.

— Sauf dans le cas de Darren, précise Ben. De toute façon, ne t'inquiète pas pour les pièges : le père de Griffin dit qu'aucun mulot ne s'en approche.

Griffin dégage l'établi et y dépose une feuille de manière à ce que tous puissent la voir.

OPÉRATION JUSTICE

BUT : Découvrir qui m'a PIÉGÉ.
 Liste des SUSPECTS :
(i) M. Tyran

Mobile : vénère la bague et me déteste. En volant la bague, obtient exactement ce qu'il désire : la bague + mon départ. Possède la clé de la vitrine.

(ii) Darren Vader

Mobile : reconnu pour adorer l'argent. A évoqué la grande valeur de la bague. Savait pour l'appareil dentaire + a accès à l'école en dehors des heures de cours à titre de joueur de football.

(iii) Tony Bartholomew

Mobile : croit que la bague lui revient de plein droit. A besoin de me faire porter le blâme pour détourner les soupçons.

(iv) Celia White

Mobile : en volant la bague, donne du crédit à ses chroniques sur la délinquance juvénile. Vise probablement un poste dans un journal plus important.

— Waouh! s'exclame Logan, impressionné. Et d'après toi, c'est lequel d'entre eux?

Pic roule de gros yeux.

— Si on le savait déjà, ils ne seraient pas suspects, tu ne crois pas? Moi, je parie sur Vader. Il vendrait sa mère pour un dollar!

— Oui, mais Darren est un saint comparé à Celia White, réplique Savannah avec une expression de dégoût. Quelqu'un qui appelle la fourrière pour Luthor est capable de tout.

Melissa secoue la tête, ce qui permet à ses grands yeux perçants d'apparaître derrière le rideau de ses cheveux.

— Et *comment* on va découvrir lequel est coupable?

Griffin pensait qu'ils ne demanderaient jamais.

— J'ai un plan.

Personne ne veut d'un plan. Mais Griffin a des ennuis alors qu'il n'a rien fait de mal. Il mérite tout le soutien possible.

— C'est bon, Griffin, soupire Ben. Déballe-nous ça.

Fouineur disparaît aussitôt sous le chandail de Ben, comme s'il ne pouvait pas en entendre davantage.

— Il s'agit d'une souricière, annonce Griffin.

— Quoi? On va utiliser des *souris*? demande Logan en écarquillant les yeux.

— Non. Ça veut dire qu'on va tendre un piège au

coupable pour qu'il se trahisse lui-même, explique Griffin.

— Ou *elle-même*, ajoute Savannah, qui a toujours Celia White en tête.

— Et comment donc? insiste Pic.

— Pourquoi vole-t-on une bague du Super Bowl de grande valeur? réfléchit Griffin. Les suspects peuvent avoir différentes raisons, mais un dénominateur commun demeure : l'argent. Donc, tout ce qu'on a à faire, c'est de se faire passer pour un acheteur. On leur envoie à tous les quatre un courriel anonyme dans lequel on leur offre beaucoup d'argent en échange de la bague. On fixe un rendez-vous et celui qui s'y pointe est le coupable.

— Tu n'oublies pas un détail? fait remarquer Ben. Les suspects nous connaissent. Peu importe qui se pointe au rendez-vous, dès que cette personne nous verra, elle comprendra tout. Elle filera, et on ne pourra jamais prouver qu'elle avait la bague.

— J'y ai pensé, répond Griffin. Le rendez-vous doit avoir lieu au palais de justice, là où j'ai eu mon audience. Il y a un détecteur de métal à l'entrée et c'est impossible qu'une grosse bague en or le franchisse sans le déclencher. Par conséquent, le coupable devra sortir la bague de sa poche pour la faire passer dans la machine à rayons X. C'est là qu'on le pincera.

— Ou qu'on la pincera, ajoute Savannah.

Pic affiche un air surpris.

— Tu sais, Griffin, j'ai toujours trouvé que tes plans étaient boiteux, mais celui-ci est plutôt ingénieux. Je crois qu'il pourrait fonctionner.

— Il ferait mieux de fonctionner, dit vivement Griffin. J'ai moins d'un mois pour prouver mon innocence.

Je suis un acheteur sérieux, intéressé par l'objet de valeur que vous avez acquis dernièrement. Si vous avez envie de gagner beaucoup de $$$, retrouvez-moi vendredi à 17 h 30 sous la statue *La Justice aveugle*, dans le hall du palais de justice de Cedarville. Apportez la quincaillerie. J'ai une offre EN OR.

— C'est parfait, approuve Griffin, ce qui fait rougir Melissa-la-timide. As-tu les adresses courriel des quatre suspects?

Elle hoche la tête, caressant le clavier du bout des doigts.

— C'est prêt à partir. J'envoie le message à partir d'un serveur bidon sur l'île de Malte. Impossible d'en retracer l'origine. Même un expert en informatique mettrait des années avant d'y arriver. Prêt? demande-t-elle, le doigt au-dessus du bouton de la souris.

— Je vais le faire, Melissa.

Griffin envoie les messages. Il trouve important de mettre lui-même son plan en marche, de déclencher le mécanisme qui lui rendra sa vie normale. Jusqu'à présent, il n'a fait que subir. Il se sent comme une balle de ping-pong, poussé de tous côtés par des forces sur lesquelles il n'a aucun contrôle. Maintenant il se défend, il prend les choses en main. Et ça fait du bien.

Le plus difficile, c'est d'attendre jusqu'à vendredi. Griffin marche comme un zombie dans les corridors de Taule pour Enfants. Si son corps se déplace dans ce lieu d'horreur, son esprit est plongé dans les détails de l'opération Justice : Où les guetteurs devraient-ils être postés avec leurs émetteurs-récepteurs portatifs? Quels sont les meilleurs points de vue pour photographier la bague quand le coupable la montrera, juste avant de franchir le détecteur de métal?

— Hé, Justice! Par ici!

À la cafétéria, Griffin est le dernier de la file, son plateau levé à hauteur d'yeux. De cette façon, il peut prétendre ne pas avoir remarqué Sheldon Brickhaus qui lui fait de grands signes depuis une table de coin.

Continue de marcher. Tu ne le vois pas.

C'est inutile. Il entend déjà les bottes de construction pointure quatorze de Shank marteler le plancher. Griffin sait que les pas seront suivis d'un bon coup de poing espiègle, assez fort pour assommer un taureau, ou d'une grande claque amicale sur le crâne, distribuée par des doigts d'acier. Ça avait été comme ça toute la semaine. Impossible d'échapper à ce type.

— T'es sourd ou quoi? lance Shank en attrapant Griffin par l'oreille et en tirant dessus.

Le plateau de Griffin s'incline et soixante pour cent de son repas tombe par terre. Il s'assoit à la table de Shank. A-t-il le choix? C'est bien clair : Shank n'a rien de la brute typique à la Darren Vader. Il est plutôt comme un chat qui attrape une souris et joue tant qu'il peut avec elle avant de la tuer. Son tortionnaire ne s'amuse pas à lui tirer les sous-vêtements ou à le secouer comme un prunier pour lui soutirer de quoi se payer un repas à la cafétéria. Non. Pour lui, c'est un sport.

Shank parle comme si Griffin et lui étaient les meilleurs amis du monde. Pourtant, la douleur n'est jamais loin : une poignée de main broyeuse, une claque dans le dos à faire craquer les os et toute une variété de serrements, de secousses ou de pincements. Le fait que cela ne se produise pas trop souvent rend la chose encore plus terrifiante. La crainte suffit à vous rendre complètement fou.

Shank est en deuxième secondaire, soit un an de plus que Griffin, mais ils sont ensemble dans cinq matières sur sept. On regroupe autant que possible les élèves du début du secondaire, afin de les séparer des plus vieux. Mais les cours n'intéressent pas vraiment Shank. Le garçon trapu et costaud passe le plus clair de son temps à gaver Griffin de conseils

« amicaux » pour ne pas se faire embêter par les autres élèves. Dommage qu'il n'en ait pas sur la façon d'éviter Sheldon Brickhaus.

— Tu vois le gars là-bas, près du comptoir à plateaux? Son tatouage, c'est un mot persan qui veut dire « meurtrier ». Et regarde son sac à dos. Il appartenait à un type qui est mort.

— Qui? demande Griffin, en plissant les yeux avec méfiance.

Gros haussement d'épaules de Shank.

— Comment je pourrais le savoir? Il est mort! Et regarde la punk avec les cheveux bleus. C'est une criminelle.

— Ben voyons!

Nouveau haussement d'épaules.

— Ou c'est ça, ou elle a vraiment une mauvaise attitude.

— Tout le monde ici a une mauvaise attitude, lui rappelle Griffin. Et d'ailleurs, c'est toi le pire de tous, tu te souviens? Tu en es fier.

— Dans mon cas, c'est une sorte de tradition familiale, explique Shank. On a hérité ça de mon père. Il travaille dans l'extermination des animaux nuisibles. Il passe ses journées à attraper des chauves-souris, des moufettes et des ratons laveurs. Puis, il rentre à la maison et déverse tout son trop-plein de bonne humeur sur nous. Je suis sûr que c'est pareil avec ton vieux, pas vrai?

Griffin songe à ses parents, qui passent leurs nuits à s'inquiéter pour lui et à rencontrer des avocats, tout ça pour sauver leur fils de l'injustice qui semble l'avoir englouti.

— Ouais, toutes les familles sont pareilles, j'imagine, dit-il à voix haute.

Et si ce n'était pas vrai? Avec un peu de chance, après vendredi, il n'aura plus jamais à discuter avec Sheldon Brickhaus.

9

OPÉRATION JUSTICE - DISCOURS
D'ENCOURAGEMENT

1er brouillon
Mes chers amis, le grand défi qui nous attend...

2e brouillon
Quand l'injustice se présente à nous dans toute sa
laideur, nous devons...

3e brouillon
Hé, les gars, il faut que ça marche! Je suis en
train de capoter à TE...

En temps normal, Griffin sait exactement quoi
dire à son équipe au moment de mettre un plan à
exécution. Mais l'opération Justice n'a rien de normal.
C'est trop personnel, trop grave. Quand les membres
de l'équipe se retrouvent au point de rendez-vous,
devant le palais de justice, Griffin ne songe qu'à une

chose : « Finissons-en! »

Logan Kellerman ajuste ses lunettes de soleil, enfonce son chapeau sur sa tête... et tombe dans l'escalier de marbre!

Griffin et Pic se précipitent pour l'aider.

— Qu'est-ce que tu fabriques? siffle Pic. Tu attires l'attention sur nous!

— C'est à cause des lunettes de soleil, se défend Logan. Elles sont trop foncées!

— Il faut qu'elles soient foncées, s'empresse de lui expliquer Griffin. Sinon, les suspects pourraient nous reconnaître, surtout M. Tyran et Vader.

Logan se relève et balaie la poussière de ses vêtements.

— Vous pourriez montrer un peu de compassion, se plaint-il. J'aurais pu me blesser! Si je me fracture le crâne, je peux dire adieu à *Ave César*.

— À vos postes! ordonne Griffin.

Logan, Savannah et Melissa gravissent les marches et s'engouffrent dans l'immeuble.

Pic, qui occupe le poste de guet avancé, traverse la rue, choisit un grand sycomore et y grimpe avec aisance. Une fois perchée près de la cime de l'arbre, elle agite ses jumelles pour signaler qu'elle est en position.

Ben pousse Fouineur sous son chandail et prend position au deuxième poste de guet situé au pied de l'escalier, derrière des buissons.

Griffin sort discrètement l'émetteur-récepteur de sa poche et le place contre son oreille.

— Pic? Ben? Est-ce que vous m'entendez?

— Cinq sur cinq, répond Pic. J'ai une vue idéale d'ici. Peu importe l'identité de notre crétin, je le verrai du bout de la rue.

— Ça va aussi pour moi, dit Ben.

— D'accord, répond Griffin. J'entre dans l'immeuble.

Il franchit la lourde porte tournante et ressent aussitôt un frisson qui n'a rien à voir avec la climatisation extrême du palais de justice. L'endroit n'a rien de réjouissant pour lui. Après son dernier passage, il a été envoyé en exil à Taule pour Enfants.

Mets tes émotions de côté. Tu as une mission à accomplir.

Comme il est 17 h, le palais de justice est bondé. Les employés de jour s'en vont, tandis que ceux du soir et les gens venus assister aux audiences font la queue devant le contrôle de sécurité.

C'est bien, se dit Griffin. Il y a juste assez de monde pour que son équipe et lui ne se fassent pas remarquer en attendant leur suspect. L'endroit est idéal pour une souricière.

Il adresse un léger signe de tête à Savannah et à Logan, qui font déjà la file pour franchir le poste de sécurité. Il les voit tous deux sortir de leur poche leur cellulaire doté d'une caméra et les déposer dans la machine à rayons X. Avec ces deux-là à l'intérieur du périmètre de sécurité, et Melissa et lui-même à l'extérieur, il y a de fortes chances pour que l'un d'eux réussisse à prendre une photo du coupable en possession de la bague. C'est la seule preuve dont Griffin a besoin.

Il ne reste plus qu'à attendre. Il est 17 h 10, soit 20 minutes avant l'heure H.

— Tout le monde est en place ici, murmure-t-il dans l'émetteur-récepteur.

— Aïe! fait une voix à l'autre bout.

D'expérience, Griffin sait ce que ça signifie. Ben s'est assoupi et Fouineur lui a servi une de ses petites morsures pour l'éveiller.

— Tout va bien, confirme Pic. Tu sais, Griffin, je vois ta maison d'ici.

— Garde les yeux sur le palais de justice, lui conseille Griffin. C'est bientôt l'heure.

— D'accord. Hé! Une minute… Alerte rouge!

— Un suspect? Qui?

— Qui d'autre? lâche Pic d'un ton dégoûté. Vader.

— Je le savais!

Griffin imagine le crime : Darren tombe par hasard sur l'appareil orthodontique égaré et invente aussitôt un stratagème pour voler la bague et faire accuser son pire ennemi à sa place.

Ma vengeance va être douce!

Il donne le signal : trois petits éternuements de suite. Les membres de l'équipe sont aux aguets, la main dans la poche, le cellulaire prêt.

La voix de Ben vient rompre la concentration de Griffin.

— Alerte rouge!

— Je sais, chuchote Griffin. Vader s'en vient.

— Non! insiste Ben. C'est Celia White!

— Décidez-vous! Qui s'en vient? Darren Vader ou Celia White?

— Bon sang! s'exclame Pic. *Les deux* s'en viennent! Vader arrive par la rue et Celia White sort du stationnement!

Griffin éternue à nouveau trois fois. Il ne sait pas trop s'il réussit à leur communiquer qu'il s'agit d'une nouvelle alerte et non d'une répétition de la première, mais il doit tenter quelque chose.

— À tes souhaits! dit le gardien de sécurité qui fait fonctionner la machine à rayons X.

Griffin se mêle à la foule en voyant Darren entrer dans l'immeuble et se mettre en file devant le poste de contrôle de sécurité. Moins de 30 secondes plus tard, Celia White arrive à son tour et va se placer quelques personnes derrière Darren.

Griffin croise le regard consterné de Melissa, la

seule de l'équipe à ne pas porter de lunettes de soleil. Il avait jugé inutile de lui demander de dissimuler ses yeux : ses cheveux s'en chargent déjà. Maintenant, ses yeux sont non seulement visibles, mais exorbités. Il n'était pas prévu dans le plan que plus d'un suspect se présente.

Mais ce n'est pas le moment de penser à cela. Darren est en train de franchir le poste de contrôle. Les quatre photographes serrent leur cellulaire et se rapprochent de lui.

Le souffle coupé, Griffin observe Darren vider ses poches et en déposer le contenu dans le bac. Quelques pièces de monnaie et... qu'est-ce que c'est que ça? Un objet métallique! Il vise avec le cellulaire, prêt à appuyer.

Une clé. Fausse alerte.

Consterné, il regarde Darren passer sous le détecteur de métal. Rien. Pas un son.

Bon, dans ce cas, c'est Celia White. Darren est venu seulement parce que le courriel parlait d'argent et qu'il espérait, par je ne sais quel moyen, voir quelques beaux billets aboutir entre ses doigts graisseux...

Toutefois, quelques minutes plus tard, la journaliste place son sac à main sur le tapis roulant, puis franchit le détecteur de métal sans aucun incident. Griffin tend le cou pour essayer de voir l'écran de la machine. Des clés d'auto, un BlackBerry, un bric-à-brac d'objets divers, mais pas de bague.

À présent, Melissa a les yeux comme des soucoupes. Derrière leurs lunettes de soleil, les autres fixent Griffin. Deux suspects et pas de bague. Et maintenant?

La voix de Ben se fait entendre dans l'émetteur-récepteur.

— Alors, Griffin, c'était lequel des deux? Darren ou Celia White?

— Aucun! grogne Griffin.

— *Aucun?*

— Les deux ont franchi le contrôle de sécurité. Avec succès.

— Comment ça se fait?

La voix de Pic apporte une possibilité de réponse :

— Alerte rouge!

— Oh, sérieusement? explose Ben.

— Une autre? siffle Griffin.

— C'est le gars, Bartholomew, confirme-t-elle. Il se dirige vers l'escalier.

Griffin est tellement soulagé qu'il en oublie presque de donner le signal. C'est sûrement ça : Darren est venu pour l'argent, Celia White pour l'histoire. Tony, c'est le bon.

Les membres de l'équipe surveillent le grand garçon dégingandé de deuxième secondaire, le plus proche parent d'Art Blankenship, progresser dans la file et passer sous le détecteur de métal. Griffin resserre sa prise sur le cellulaire au fond de sa poche, mais aucune alarme ne vient perturber la musique d'ascenseur qui résonne dans le hall. Tony n'a pas la bague, lui non plus.

Griffin est dévasté. À quel moment le plan a-t-il déraillé? Aurait-il oublié un détail?

C'est alors que la dernière alerte rouge survient dans l'émetteur-récepteur.

— C'est M. Tyran! Grogne Ben. Il a sûrement la marchandise! C'est notre dernier suspect!

— Faites attention! ajoute Pic. Cette fois, c'est la bonne!

Griffin sent la peur tendre tous les muscles de son corps en regardant le directeur entrer dans le palais de justice.

J'aurais dû deviner que ça finirait comme ça!

Il avait de bonnes raisons de soupçonner les autres, mais à bien y penser, M. Egan est son pire ennemi : celui qui l'a repéré dès le début et qui l'a fait envoyer à Taule pour Enfants.

Le directeur semble agité et agacé. Il a les yeux rivés sur la statue de La Justice aveugle derrière le contrôle de sécurité. Au cas où l'on douterait encore de la raison de sa présence ici, il serre une copie du courriel dans sa main.

Fronçant les sourcils avec impatience, il avance sous le détecteur de métal. L'alarme se déclenche aussitôt, ultra aiguë et stridente.

Des quatre coins de l'atrium, l'équipe converge vers le détecteur, cellulaires en main, le doigt sur l'obturateur.

— Reculez d'un pas, monsieur, ordonne le gardien. Veuillez déposer vos clés, votre monnaie et tout objet en métal dans le bac, et repasser sous le détecteur, s'il vous plaît.

Le directeur plonge la main dans sa poche.

Griffin se raidit comme un chien d'arrêt devant sa proie. Ça y est! Dans une seconde, la bague va être dévoilée! Il brandit le portable et se penche vers le poste de contrôle.

Trop près.

— *Griffin Bing?* s'exclame M. Egan.

— *Griffin Bing?* répète une voix derrière lui.

Griffin se retourne d'un bloc. Un personnage trapu bien trop familier se tient du côté de la sortie du poste de contrôle. La juge Koretsky.

Piégé comme un animal, Griffin fait la seule chose qui lui vient à l'esprit : il plaque le téléphone contre son oreille et dit « Allô? »

En colère, le directeur agite le message imprimé devant lui.

— C'est ton œuvre, ça?

— Je serais très intéressée d'entendre sa réponse.

Calepin en main, Celia White est penchée par-dessus la cloison.

Darren et Tony apparaissent derrière elle et regardent Griffin à leur tour. Darren arbore un petit sourire satisfait. Rien ne lui fait plus plaisir que de voir Griffin subir un revers.

C'est à cet instant précis que l'émetteur-récepteur portatif se met à grésiller et que la voix inquiète de Ben se manifeste :

— Qu'est-ce qui se passe, Griffin? Ça a marché?

La réponse à cette question, songe Griffin avec le cœur serré, est un « non » retentissant.

10

Au moins, cette fois, Griffin n'a pas besoin d'être traîné en cour de justice : il y est déjà.

Il est assis dans le cabinet en compagnie de sa mère et de la juge Koretsky. Leurs regards assassins ne lui donnent qu'une envie : rentrer six pieds sous terre.

— Pourquoi as-tu fait une chose aussi stupide? lui demande sa mère.

— C'était une souricière, tente d'expliquer Griffin. Puisque tout le monde me croit coupable, il fallait absolument que je débusque le vrai coupable.

Il pose un regard accusateur sur la juge et ajoute :

— Et ça a très bien fonctionné, d'ailleurs! Pourquoi n'avez-vous pas interrogé M. Egan quand je vous ai demandé de le faire?

— Nous ne faisons pas de recherches inconstitutionnelles sur l'ordre d'un enfant de douze ans, réplique-t-elle d'un ton glacial.

— Mais il avait la bague! insiste Griffin. C'est ça qui a déclenché le détecteur de métal!

— Le détecteur de métal se déclenche cinquante fois par jour à cause de personnes qui oublient d'ôter leurs clés ou leur téléphone portable de leurs poches.

— Mais c'était *sûrement* la bague! insiste Griffin. Les trois autres suspects ont franchi le détecteur sans problème. M. Egan est le seul à l'avoir fait sonner! Il a pris la bague pour me faire accuser et maintenant, il essaie de la vendre! C'est contraire à la loi!

La juge lui lance un regard noir depuis son côté de bureau.

— En matière de loi, jeune homme, je vais me fier à mon jugement si tu permets. Maintenant que j'ai entendu ta théorie, à toi d'entendre la mienne : tu as concocté ce plan afin de découvrir la valeur réelle de la bague du Super Bowl que tu as volée. Ainsi, tu sauras combien demander lorsque tu trouveras un acheteur.

— Mais c'est faux! s'écrie Griffin en devenant tout pâle.

— Le moment venu, la cour déterminera ce qui est faux et ce qui est vrai. En attendant, je vais mettre un terme à ta tendance aux comportements scandaleux. À partir de maintenant, tu es assigné à résidence. Tu as le droit de quitter la maison seulement pour te rendre à l'école, à des rendez-vous médicaux ou à la cour.

— Mais comment je vais faire pour prouver mon innocence? laisse échapper Griffin.

La juge lui répond d'un ton sympathique, mais

ferme.

— Si tu es véritablement innocent, la justice le découvrira, dit-elle avant de se tourner vers Mme Bing. Je compte sur vous pour voir à ce que votre fils respecte cette décision. Je préférerais ne pas avoir à faire intervenir la police.

— Griffin ne vous causera plus aucun souci, promet Mme Bing. Je le conduis directement à la maison.

En sortant du palais de justice, Griffin dit à sa mère :

— Merci de ne pas avoir appelé papa.

— Oh, je l'ai appelé, répond-elle. Il est en route vers la maison, de retour de la grande bibliothèque où il travaillait, à New York. Il a interrompu ses recherches sur les mulots pour voir s'il ne pourrait pas te mettre un peu de plomb dans la cervelle. Ça promet!

— Je n'avais pas d'autre choix, insiste Griffin. Personne ne croit que je suis innocent!

— Tu es innocent dans le cas du vol de la bague. À ce sujet, ton père et moi, on te croit. Mais la bêtise que tu as faite aujourd'hui? Tu en es totalement responsable. Et je n'ose pas imaginer qui d'autre tu as entraîné avec toi dans cette histoire! Si j'appelle Estelle Slovak, est-ce qu'elle va me dire que Ben faisait ses devoirs dans sa chambre, à 17 h 30?

Griffin reste silencieux. Au moins, cette partie du plan s'est bien déroulée. Les autres membres de l'équipe ont réussi à éviter la catastrophe. Personne n'a été pris. Ça a été un cas classique de code Z : le moment où un plan échoue, sans reprise possible. Au moins, ses amis sont hors de danger.

— Tu ne comprends donc pas? continue sa mère. Quand tu montes un plan pareil, tu te donnes l'air coupable, même si tu possèdes un alibi en béton!

— Dans ce cas, qu'est-ce que je suis censé faire? lance Griffin sur un ton de défi. Rien? Alors qu'ils m'envoient à Taule pour Enfants? Qu'ils menacent de m'envoyer en centre de détention juvénile et de me monter un casier judiciaire? Pourquoi est-ce que je paierais pour le crime d'un autre?

— Tout ce qu'on te demande, rétorque sa mère d'un air sévère, c'est de faire confiance à tes parents lorsqu'il s'agit de voir à tes intérêts. Et de faire confiance à notre avocat qui travaille pour toi. Surtout, on s'attend à ce que tu obéisses à la juge et que tu restes tranquille d'ici à ce que cette horrible épreuve soit derrière nous.

C'est le coup le plus dévastateur de tous. Frappé d'une assignation à résidence, incapable de prouver son innocence, Griffin se retrouve à la merci du système judiciaire. Et chacun sait que le système judiciaire connaît parfois des ratés. Des innocents croupissent en prison, se retrouvent parfois même dans le corridor de la mort, parce qu'ils ont été victimes d'un coup monté, exactement comme lui.

L'Homme au Plan croit à la planification, mais il

croit avant tout à l'action. Rester les bras croisés alors que tout son avenir part à vau-l'eau, c'est la torture ultime pour un gars comme Griffin Bing.

La cafétéria de l'école secondaire de Cedarville est bondée et bruyante. À une table de coin, cependant, le ton ne pourrait être plus bas. Tous les yeux sont tournés vers Ben Slovak qui vient les rejoindre, son plateau-repas à la main.

— Alors? s'empresse de demander Pic. L'as-tu vu?

— Oui, si on peut dire, répond Ben d'un ton dramatique. Du coin de la rue, je l'ai salué de la main quand il est sorti de chez lui pour prendre l'autobus de Taule pour Enfants.

— Tu ne lui as même pas parlé? demande Melissa d'une voix à peine audible.

— Seulement au téléphone, pendant la fin de semaine. Je suis censé rester loin de lui. Ma mère a grimpé dans les rideaux en lisant la chronique de Celia White.

— Ouais, avez-vous lu ça? renchérit Logan. Heureusement qu'elle ne peut pas publier les noms des enfants, parce qu'elle sait qu'on était tous là, à aider Griffin. C'est le genre de mauvaise publicité qui pourrait ruiner ma carrière d'acteur.

— Pourrais-tu arrêter de penser à ta petite personne pour une fois? réplique sèchement Savannah. Pense à

Griffin. Assignation à résidence! Je n'ai qu'à regarder mon Luthor en laisse dans ma cour pour imaginer comment Griffin doit se sentir. S'il est à moitié aussi déprimé que ce pauvre Luthor...

— La déprime est le dernier de ses soucis, l'interrompt Pic. Il a de gros, gros ennuis. Il va devoir assumer le blâme pour tout ça et nous, on sait qu'il n'a pas la bague. C'est Egan qui l'a.

Ben hoche la tête.

— Il y a de bons et de mauvais directeurs, mais M. Tyran est dans une catégorie à part. Comment quelqu'un peut-il faire ça à un enfant?

— On ne peut pas le laisser s'en tirer comme ça, dit amèrement Pic.

— Je m'en fiche qu'il s'en tire ou pas, grogne Ben, mécontent. Tout ce que je veux, c'est que Griffin revienne.

Melissa s'exprime d'une voix douce, mais comme d'habitude, ses paroles résument parfaitement le problème.

— Si Griffin était ici, il ne se plaindrait pas de l'injustice de toute cette affaire. Il réfléchirait à un moyen d'arranger les choses.

Ils échangent des regards impuissants. Le seul membre de l'équipe qui saurait quoi faire, c'est justement celui qui est absent.

11

Il n'y a pas de casiers à Taule pour Enfants. Le personnel enseignant pense que ce n'est pas une bonne idée d'offrir des cachettes sur un plateau à leurs élèves turbulents. Résultat : chacun transporte sur lui un sac à dos très lourd, rempli de livres et d'objets personnels, ce qui cause des bouchons dans les corridors et quantité de maux de dos aux élèves.

Une des façons préférées de Sheldon Brickhaus de « saluer » Griffin consiste à arriver derrière lui et à tirer très fort sur son sac, jusqu'à ce que les bretelles lui coupent la circulation de l'air dans ses poumons. Chaque fois, Griffin a une réaction de panique, caractérisée par un cri de surprise et des sifflements terrifiants.

Aujourd'hui, cependant, sa méthode passe presque inaperçue, ce que Shank trouve aussi surprenant qu'insatisfaisant.

— Qu'est-ce qui se passe avec toi, Justice? T'es que l'ombre de toi-même.

— Fiche-moi la paix.

Griffin est trop perdu dans ses problèmes pour se soucier de ce que Shank pourrait lui faire. Les choses vont tellement mal que n'importe quel changement peut passer pour une amélioration, y compris être réduit en pâtée pour chat par son camarade de classe.

Shank n'est pas du genre à se faire repousser sans réagir.

— OK, raconte. Qu'est-ce qui ne va pas?

— Tu veux rire? lance Griffin d'un ton amer. Regarde autour de toi! Tu as peut-être l'impression d'être à ta place ici, dans ce dépotoir, mais pas moi.

Le garçon aussi courtaud que costaud affiche une mine sceptique.

— Ouais, mais la semaine dernière non plus, tu n'avais pas l'impression d'être à ta place ici et pourtant, tu ne faisais pas cette tête-là. Il s'est passé quelque chose pendant la fin de semaine. Quoi?

Malgré son humeur maussade, Griffin ne peut s'empêcher de remarquer une chose : Sheldon Brickhaus est bien plus malin que l'image de la petite brute bête et musclée qu'il s'applique à montrer au reste du monde.

Mais Griffin n'est pas d'humeur à se confier à un Hummer chaussé de bottes de construction pointure quatorze.

— Qu'est-ce que ça peut bien te faire? marmonne-t-il.

— De quoi tu parles? On est *des amis!*

Même en l'examinant attentivement, Griffin ne

décèle pas la moindre trace de moquerie sur les traits en béton de Shank. Ce tortionnaire en série se considère bel et bien comme son ami! Griffin n'ose pas imaginer de quelle façon il traite ses ennemis.

Il survit au reste de la journée, mais n'y trouve aucun réconfort. Par la fenêtre de l'autobus constellée d'insectes écrasés, il fixe d'un air sombre une ville qu'il reconnaît à peine. Cedarville, l'endroit où il vit depuis toujours, lui semble aussi étranger que la surface de la planète Mars.

À part une conversation de 30 secondes avec Ben samedi, il n'a eu aucun contact avec ses amis depuis le fiasco au palais de justice. Ah oui, Ben l'a aussi salué de loin ce matin. C'est mieux que rien, se dit-il, mais il regrette que son ami n'ait pas essayé de se rapprocher davantage. Ses amis seraient-ils en train de l'abandonner? Si c'était le cas, Griffin ne leur en voudrait pas. Il ne veut surtout pas qu'ils connaissent le même sort que lui, mais il trouve difficile d'affronter cette épreuve seul.

Sa mère l'attend à l'arrêt d'autobus. Une autre humiliation. Griffin a douze ans, mais grâce à la juge Koretsky, il doit maintenant être accompagné par sa maman pour franchir les quinze mètres qui séparent son arrêt du seuil de sa maison. Pas question que sa mère coure le risque de laisser son mauvais fils traînasser en chemin alors qu'il est assigné à résidence.

D'ailleurs, c'est peut-être le fruit de son imagination, mais il lui semble avoir vu beaucoup plus de voitures de police circuler dans leur petite rue tranquille ces derniers temps.

Il voit le géant de deux mètres esquisser un petit sourire en coin dans sa barbe. Parmi les jeunes voyous les plus turbulents, quelques-uns s'amusent à taper sur les fenêtres de l'autobus. À partir de maintenant, Griffin va être connu dans tout TE comme étant *le petit garçon à sa môman. Parfait*, se dit Griffin, *répandez la nouvelle. Après tout, pourquoi Shank serait-il le seul à s'amuser?*

Sa mère sourit, mais cela lui demande un tel effort que ses traits en sont tout tirés.

— Comment ça a été à l'école, mon chéri?

— Tu veux rire ou quoi?

Elle soupire.

— Fais-moi plaisir, Griffin. Je sais que les temps sont durs, mais on doit essayer de vivre normalement.

En gravissant les marches d'un pas lourd, la perspective d'être enfermé jusqu'au moment de prendre l'autobus demain matin lui est insupportable. Ce n'est pas un vie ça.

Griffin Bing s'ennuie à mourir.

Jamais il n'aurait imaginé vouloir avoir des devoirs, mais à présent, il en ferait bien quelques-uns, histoire de passer le temps. Il n'y a jamais de devoirs à TE…

probablement parce que personne ne les ferait.

À force de rester assis à ne rien faire, il s'assoupit presque. Mais un bruit de grattement à sa fenêtre le tire de sa torpeur. Il écarte le rideau et recule d'un bond sous l'effet de la surprise.

Un singe à la face plissée et poilue lui adresse un grand sourire. C'est Cléopâtre, le singe capucin de Savannah.

— Rentre chez toi, Cléo! fait Griffin en ouvrant la fenêtre. Savannah doit déjà avoir appelé le FBI à l'heure qu'il est! Allez, fiche le camp!

Accroché à la persienne par la queue, le singe ne bouge pas. C'est alors que Griffin remarque le carton coincé sous son collier. Il attrape l'animal et le fait entrer dans sa chambre. Une seconde plus tard, il tient le message entre ses doigts tremblants.

DESCENDS AU SOUS-SOL

Il coince Cléopâtre sous son bras comme si elle était un ballon de football et dévale les marches quatre à quatre, en prenant bien soin de cacher sa passagère lorsqu'il longe le corridor, d'où sa mère pourrait l'apercevoir. Il dégringole l'autre série de marches et arrive en bas en sautant sur le plancher de ciment. Là, un autre visage, humain celui-là, a le nez pressé contre la fenêtre. C'est Ben.

Griffin grimpe sur une chaise et ouvre la fenêtre. Toute la bande s'introduit dans le sous-sol : Ben le premier, suivi de Savannah, Pic, Logan et Melissa.

— Hé! Vous n'avez pas idée à quel point je suis content de vous voir! s'exclame Griffin. Qu'est-ce que vous faites ici?

— On est venus te montrer quelque chose, répond Pic.

— Me montrer quoi?

— Ça.

Ben lui tend une feuille de papier pliée en deux avec soin.

Griffin est totalement abasourdi.

— Qu'est-ce que c'est? demande-t-il.

Savannah s'impatiente.

— Tu n'as pas une petite idée? Combien de fois nous as-tu répété que le seul moyen d'accomplir quelque chose, c'est d'avoir un plan?

Lentement, Griffin déplie la feuille et jette un coup d'œil au titre écrit tout en haut :

OPÉRATION SURVEILLANCE

Ses yeux sont rivés sur les mots.

— Vous avez fait un plan? Pour moi?

— Attention Griffin, l'avertit Pic, si tu verses une larme, je m'enfuis à toutes jambes!

— Non... C'est seulement que... Je ne pensais pas... Je n'arrive pas à le croire...

Il est presque trop ému pour parler. Alors qu'acculé au pied du mur l'Homme au Plan est incapable d'en concevoir un, voici qu'arrivent ses cinq meilleurs amis au monde, munis de la précieuse feuille. Même si leur plan s'avère nul et inutile, il demeure le plus beau cadeau qu'on puisse lui faire.

BUT : PROUVER que M. Tyran a volé la bague du Super Bowl

MÉTHODE : SURVEILLANCE intensive de la maison d'Egan.

CENTRE DU COMMANDEMENT : Le GRENIER des Drysdale. Fenêtre avec vue imprenable sur la MAISON CIBLE.

L'ÉQUIPE :

PIC BENSON, grimpeuse

Mission : Installation des caméras et du matériel d'écoute dans les arbres et sur le toit.

MELISSA DUKAKIS, spécialiste de l'informatique

Mission : Branchement des écrans de surveillance électronique.

BEN SLOVAK, espion

Mission : Écoute à partir de cachettes dans des espaces réduits.

LOGAN KELLERMAN, acteur

Mission : Utiliser ses talents artistiques pour se lier d'amitié avec la fille de M. Tyran.

SAVANNAH DRYSDALE, responsable du centre du commandement

Mission : Gérer le centre du commandement et tenir les parents à l'écart.

LUTHOR, spécialiste de la diversion

Mission : Fournir une couverture sonore (en aboyant).

Ce plan est dédié à notre ami Griffin Bing, qui ne nous a jamais laissé tomber.

— Qu'est-ce que tu en penses? s'empresse de demander Ben.

— Une surveillance! s'écrie Griffin, les yeux brillants d'excitation. C'est tellement simple que c'en est génial! On sait qu'il a la bague. Tout ce qu'on a à faire, c'est le surveiller. Il va sûrement commettre une erreur. Mon seul regret, c'est de ne pas pouvoir être avec vous.

Melissa s'avance vers lui.

— Montre-moi ton ordinateur. Je peux y transférer en direct tout ce que les caméras capteront. Tu verras la même chose que nous.

— C'est incroyable! se réjouit Griffin. Il n'y a qu'un détail que vous n'avez pas mentionné… On commence quand?

— Il n'y a rien de tel que le moment présent, répond Savannah en berçant Cléopâtre avec amour. Mes parents soupent à l'extérieur. On installe le centre dès ce soir.

12

Le centre du commandement occupe un endroit poussiéreux et non fini, au plancher en contreplaqué et aux poutres apparentes. Le grenier est rempli de boîtes, de valises et d'une quantité phénoménale de matériel de sport, parmi lequel des tentes, des kayaks et des réchauds de camping. Les Drysdale étaient de grands amateurs de camping avant que la collection grandissante d'animaux de leur fille ne les oblige à rester à la maison. Ils ne font plus que de rares séjours d'une nuit.

Le plafond bas suit l'inclinaison du toit jusqu'aux plinthes, sans aucune fenêtre à part une lucarne. Elle donne sur la rue et, plus important encore, sur la maison des Egan.

Ben s'accroupit pour réparer la patte brisée d'un trépied de caméra à l'aide de ruban à conduit. Le long téléobjectif penche dangereusement au-dessus de lui et sort par la lucarne. Il est braqué sur la fenêtre du salon, attendant de capter un éclat de la bague du Super Bowl à montrer en preuve à la juge Koretsky.

Soudain, le garçon sent un souffle chaud sur sa nuque. Quand il lève les yeux, il réalise qu'il est en train de fixer de très près l'intérieur de la gueule béante de Luthor.

D'un coup, le garçon bondit sur ses pieds. *Bong!* Il se cogne la tête contre le plafond incliné avec une telle force que sous l'impact, Fouineur est éjecté de son chandail. Le petit animal se met à courir dès qu'il tombe par terre. Il dérape sur le plancher en contreplaqué et disparaît dans le jean de Logan.

— Hé! s'écrie Logan.

Il secoue sa jambe avec frénésie jusqu'à ce que le furet sorte de son pantalon et retourne précipitamment vers Ben.

Pic sourit.

— Je pensais que tu étais seulement acteur. J'ignorais que tu savais aussi danser.

— Très drôle, commente Logan, vexé. Je me prépare pour un rôle complexe et très difficile.

—Qu'est-ce qui est si difficile? demande Savannah. Tout ce que tu as à faire, c'est devenir ami avec la fille d'Egan et essayer de découvrir où son père planque la bague.

— Mais je *ne* suis *pas* ami avec la fille d'Egan, riposte Logan. Je dois m'imprégner du personnage. Pour ça, je dois me concentrer... ce qui est impossible quand on se fait attaquer par un animal sauvage!

Il lance un regard noir à Fouineur, qui s'est réfugié contre Ben.

— Parlant d'animal sauvage, enchaîne Pic en s'adressant à Savannah, où en es-tu avec ton petit problème de rongeur? Je n'aime pas trop les rats.

— Oh, c'est fini! Enfin j'espère, déclare Savannah. On ne l'a pas vu depuis un bout de temps. Mais il pourrait ressurgir n'importe quand. Luthor le surveille!

— Attention, vous autres... lance tout à coup Melissa.

Elle tape sur le clavier d'un des trois ordinateurs portables interconnectés qui forment le cerveau de l'opération Surveillance.

— Encore quelques secondes... et voilà!

D'un clic de souris, elle fait apparaître le visage de Griffin sur l'écran du milieu.

Des applaudissements retentissent dans le grenier.

Melissa n'exprime aucune joie. Quand il est question d'informatique, elle reste très concentrée.

— Tu nous vois? demande-t-elle.

— Je vous vois, chuchote Griffin dans les haut-parleurs. Mais comment je vais faire pour voir ce qui se passe chez M. Tyran?

— Une fois que les caméras commandées à distance seront reliées au réseau, je t'installerai un écran divisé, le rassure Melissa.

— Je donnerais n'importe quoi pour être avec vous, soupire Griffin.

— Ou peut-être pas, réplique Ben en voyant une

goutte de bave de Luthor atterrir sur son espadrille.

Pic ne tient pas en place, trahissant son impatience d'accomplir sa mission.

— Bon, qu'est-ce qu'on attend? Il fait assez noir maintenant. Je peux grimper aux arbres, sauter sur le toit et finir le boulot avant même qu'Egan ait eu le temps de jeter un coup d'œil par la fenêtre.

— Pas encore, la retient Savannah. J'ai bien surveillé la maison. Fais-moi confiance : quand ce sera le bon moment, on le saura.

Dix minutes plus tard, sa stratégie devient claire pour toute l'équipe. La porte du 44, rue Honeybee s'ouvre et laisse sortir M. Egan, sa femme et leurs deux enfants : une fillette de onze ans sur une trottinette et un garçon de trois ans dans une poussette.

— Qu'est-ce qui se passe? demande Griffin sur l'ordinateur.

— En plein comme prévu, lance Savannah d'un ton satisfait. Chaque soir, à cette heure environ, les Egan vont faire une longue promenade. Ils s'absentent de 40 à 60 minutes. Parfois, ils reviennent avec de la crème glacée.

Ben regarde par la fenêtre en plissant les yeux.

— Personne ne connaît la fille? Est-ce qu'elle va à notre école?

— Je pense qu'elle est en sixième année à l'école primaire, répond Savannah. Pourquoi?

Ben semble mal à l'aise.

— Euh… Rien. C'est juste que je n'avais jamais pensé que M. Tyran pouvait avoir une fille aussi… euh… vous savez… jolie.

— Ne vous inquiétez pas, les rassure Logan. Je vais créer un personnage tellement parfait qu'il va nous la révéler sous son vrai jour, comme le ferait une radiographie. Si elle sait où se trouve la bague, on le saura aussi.

— Ne t'emballe pas trop, lui conseille Griffin depuis l'ordinateur. Elle est peut-être nouvelle ici, mais pas toi. Si tu t'inventes une identité ridicule et que quelqu'un arrive en t'appelant par ton nom, tout sera fichu.

Pic attrape le sac à dos qui contient le matériel de surveillance électronique.

— La voie est libre, annonce-t-elle en tirant Ben par le bras. C'est parti.

Pendant qu'ils sortent et se faufilent de l'autre côté de la rue, Ben sent le battement de son cœur résonner dans ses oreilles comme à chaque exécution d'un plan. Encore aujourd'hui, le mot reste coincé dans sa gorge. Il est certain que les gens normaux ne se retrouvent jamais mêlés à un truc du genre « opération Machin ». Puis il songe à Griffin et accélère le pas.

Rendus devant la maison des Egan, Pic et Ben se séparent. Pic disparaît entre les branches d'un sycomore bien dense, tandis que Ben se dirige vers son poste de guet : la boîte à bois installée sur le perron, à l'avant de la maison.

En entendant le bruit de ses pas sur les planches du perron, il sent un frisson parcourir son échine. Il se trouve à moins de deux mètres de la porte d'entrée de la maison de M. Tyran. Difficile de faire mieux, pour observer du côté des lignes ennemies.

Il soulève le couvercle de la boîte et se glisse parmi les bûches. Son cœur fait un bond quand un grillon pousse son cri tout près de son oreille.

Un insecte! Il y a des insectes là-dedans!

En un éclair, Fouineur sort de sous son chandail et croque un perce-oreille.

Vas-y, mon vieux! Mange-les tous!

Il coince un bout de bois sous le couvercle, ce qui lui permet de voir l'avant de la maison et la rue dans les deux directions. En levant les yeux, il aperçoit Pic juchée très haut dans l'arbre, en train de fixer la première caméra sans fil à une branche.

— La première caméra est installée, murmure Ben dans son émetteur-récepteur.

— Message reçu, répond Savannah. Comment se débrouille Pic?

Il l'observe descendre du premier arbre avec l'agilité d'un écureuil. Sa confiance à toute épreuve demeure un mystère pour Ben.

— Elle est folle, répond-il en toute sincérité. Elle grimpe au deuxième arbre…

C'est la dernière chose dont Ben se souvient l'espace de quelques minutes.

Pic enroule la bande velcro autour de la deuxième caméra pour la maintenir solidement en place. L'appareil est braqué droit sur une fenêtre à l'étage.

Tout en se tenant à l'arbre, Pic parle dans l'émetteur-récepteur accroché sur le devant de son t-shirt.

— Numéro deux en place. Vérification.

— Dirige-la légèrement vers le bas, lui indique Melissa.

Pic tapote doucement le minuscule appareil.

— Parfait, confirme Melissa.

— Bien. Je vais installer le micro et après, je file d'ici.

Cela signifie qu'elle doit maintenant aller sur le toit de la maison.

Elle choisit une branche robuste qui s'avance vers la maison et rampe dessus aussi loin qu'elle le peut. Puis, dans une remarquable démonstration d'équilibre, elle saute sur les bardeaux vert foncé. Le toit a beau être en pente, elle avance d'un pas aérien mais assuré jusqu'à la cheminée.

Elle sort du sac à dos le dernier appareil de surveillance fourni par Melissa : un micro sans fil fixé à une longue corde mince. Pic noue l'extrémité de la corde au grillage en acier installé sur la tête de la cheminée et fait descendre le petit appareil dans le conduit. Si les calculs de Melissa sont exacts, et la grande timide ne se trompe jamais, le micro devrait pendre dans la cheminée, sans toutefois pouvoir être vu. De là, il devrait capter presque tout ce qui se dira dans la maison.

Elle grimace.

C'est déjà pénible de devoir écouter ce type toute la journée à l'école; maintenant, on va l'entendre chanter sous la douche!

Mais bien sûr, l'effort en vaut la peine... puisque c'est pour Griffin.

Elle se rend compte tout à coup qu'il pleut : de minuscules gouttes froides tombent du ciel. Il vaudrait mieux descendre du toit avant que les bardeaux ne deviennent humides et glissants. Elle retourne avec précaution vers les gouttières.

Et se fige.

Elle vient d'apercevoir les Egan, remontant la rue à toute vitesse. Ils ont écourté leur promenade à cause de la pluie. Et dire qu'elle n'a pas reçu le moindre avertissement de Ben Slovak, le guetteur.

Pic est prise au piège, coincée sur le toit!

13

Pic court se réfugier derrière la cheminée.

— Ben! siffle-t-elle dans l'émetteur-récepteur.

Un léger ronflement lui répond.

— Fouineur, qu'est-ce que tu fais? Ton homme s'est endormi!

Dans la boîte à bois, Ben s'éveille en sursaut.

— Hein? Quoi?

— Chut! Egan remonte l'allée devant la maison!

Ben regarde autour de lui, essayant désespérément de retrouver ses esprits. Près de lui, Fouineur poursuit une sauterelle derrière une grosse bûche. Pas étonnant qu'il se soit endormi : son furet chasse les insectes plutôt que de le garder éveillé. Ben attrape l'animal et s'empresse de le fourrer sous son chandail.

Son cerveau fonctionne à toute vitesse. *Est-ce que je devrais m'enfuir?*

Il entend un premier pas sur le perron.

Trop tard!

Il n'a même pas le temps d'ôter le bout de bois qui maintient le couvercle relevé. Si jamais M. Tyran a l'idée de jeter un coup d'œil de ce côté et se demande pourquoi le couvercle est entrebâillé…

Ben serre son furet contre lui et prie pour rester invisible.

La fille passe devant lui. Cheveux blonds, nez retroussé.

Tiens, elle a des taches de rousseur... On ne les voit pas de loin...

— Viens Lindsay, dit sa mère. Laisse ta trottinette à l'abri de la pluie.

Elle s'appelle Lindsay...

Une fraction de seconde plus tard, toute pensée rationnelle devient impossible. La bande étroite qui constitue son champ de vision est entièrement bouchée par M. Tyran. Le directeur passe tellement près de lui que Ben peut pratiquement compter les poils de ses narines.

Ne regardez pas par ici... Ne regardez pas par ici... Ne regardez pas par ici...

Ben se recroqueville le plus possible et n'ose même plus respirer. Ensuite, il entend la porte d'entrée se refermer. La famille n'est plus sur le perron.

Depuis le centre des commandes logé dans le grenier de Savannah, Melissa clique sur sa souris. Aussitôt, les voix des membres de la famille Egan retentissent sur un des ordinateurs portables.

— Pic, tu as réussi! murmure Savannah dans l'émetteur-récepteur. Le micro placé dans le foyer capte tout!

— On s'en fiche! grogne Ben depuis sa cachette. Quand est-ce qu'on sort d'ici?

— Pas question que je traîne longtemps dans le coin, déclare Pic d'un ton décidé.

Mais au moment même où elle se dirige vers les gouttières, la voix de Mme Egan se fait entendre :

— C'est quoi ce bruit? On dirait qu'il y a un animal sur le toit!

— Pic! Ne bouge plus! ordonne Savannah.

— C'est sûrement une branche qui est tombée, dit le directeur pour rassurer sa femme. Je pense que le vent se lève.

— On dirait pourtant des pas, insiste-t-elle.

— Je vais chercher une lampe de poche.

L'équipe de surveillance a prévu le coup.

— Préparez-vous pour la couverture sonore, annonce Savannah dans l'émetteur-récepteur.

Logan ouvre la fenêtre et Savannah fait passer la grosse tête de Luthor par l'ouverture.

— Allez, mon chéri, laisse-toi aller.

Un 747 n'aurait pas fait plus de boucan. L'aboiement tonitruant de Luthor se répand dans tout le voisinage, faisant trembler les vitres et s'enfuir tous les petits animaux.

Pic s'empresse de passer du toit à l'arbre. Puis, elle se laisse glisser le long du tronc et se met à courir dès qu'elle touche le sol. Elle est à plusieurs enjambées de

Ben, qui a surgi de la boîte à bois comme s'il en avait été catapulté. Tous deux traversent la rue à la vitesse de l'éclair et s'engouffrent dans l'escalier qui mène au grenier des Drysdale.

Savannah vient juste de faire taire Luthor.

— C'était super, vous deux!

— Tu ne trouverais pas ça super si ça t'était arrivé à toi! lance Ben, le souffle court.

Pic hoche la tête avec vigueur, trop essoufflée pour commenter.

— Ne vous inquiétez pas, tout se passe bien, fait entendre Griffin depuis l'ordinateur portable. C'est quoi la suite?

— On surveille, répond Savannah.

Et c'est ce qu'ils font. Ils écoutent le petit Anthony prendre son bain, ils écoutent Lindsay répéter sa leçon de cor à pistons et ils écoutent un documentaire d'une heure sur la fabrication du fromage.

— C'est mortel, se plaint Logan. Quand est-ce qu'ils vont sortir la bague?

C'est justement ça, l'ennui avec la surveillance, et ils commencent à comprendre. Installer le matériel, c'est la partie facile. Le plus difficile, c'est d'attendre qu'il se passe quelque chose d'important.

Et ils n'ont aucune garantie que cela va se produire.

14

Au centre d'éducation alternative TE, il n'y a qu'une seule activité au programme du cours d'éducation physique : le ballon chasseur. Depuis son arrivée, Griffin n'a pas passé une seule journée sans devoir participer à au moins une partie.

— Ils n'osent pas nous mettre des bâtons de hockey ou de baseball entre les mains, explique Sheldon Brickhaus, mais ils veulent quand même qu'on fasse sortir notre agressivité. Alors ils achètent tout un lot de ballons souples en caoutchouc, et ils nous lâchent dans un gymnase.

Shank est bien placé pour le savoir. Il est le meilleur joueur de ballon chasseur de toute l'histoire du sport. Entre ses mains, un simple ballon inoffensif devient une arme de destruction massive. Cela ne lui suffit pas de toucher les autres avec le ballon. Il a un don pour sentir quand un joueur est en déséquilibre ou en hyperextension. Il choisit ce moment pour viser l'oreille ou le côté du genou, et atteint sa cible avec une précision chirurgicale qui envoie sa victime au sol à tout coup. Sur le terrain de ballon chasseur, même les élèves plus vieux possédant un dossier criminel ont peur de lui.

En tant « qu'ami » de Shank, Griffin est visé sans pitié. Sa seule façon d'y échapper consiste à se jeter devant le tir normal d'un autre joueur afin d'être mis hors jeu.

Mais aujourd'hui, l'esprit de Griffin est tellement envahi par les détails de l'opération Surveillance que son instinct de survie ne s'éveille pas. Le garçon se retrouve bientôt comme un chevreuil devant les phares d'une voiture quand le champion du ballon chasseur ajuste son tir pour la mise à mort.

— Fais tes prières, Justice! Je vais te le faire avaler, celui-là!

Même à cet instant, à quelques secondes d'être touché par le missile téléguidé, Griffin est à des kilomètres du gymnase. Dans sa tête, il est dans le grenier des Drysdale, là où le matériel de surveillance de Melissa filme et enregistre tout ce qui se passe dans la maison des Egan. Ont-ils la moindre chance d'entrevoir la bague alors que M. Tyran est à l'école toute la journée? Pas sûr. D'après ce que Griffin sait, Mme Egan travaille elle aussi, ce qui signifie qu'ils enregistrent huit heures de rien du tout.

Quand le ballon arrive enfin, ce n'est pas l'habituel coup de marteau qui envoie au sol. Shank se contente d'effleurer l'épaule de Griffin avec le ballon. Puis, d'une voix étonnamment douce, il ajoute :

— Touché. Disparais de ma vue.

Griffin est heureux de quitter le terrain et de pouvoir enfin reporter son attention sur l'opération Surveillance… même s'il ne peut rien faire de plus que regarder depuis sa chambre.

Il se demande ce qui est pire : être assigné à résidence ou ne pas participer au plan. Dans les deux cas, il trouve terrible d'être impuissant alors qu'il s'agit de son propre destin.

Il s'efforce de rester positif. Ses amis ont pondu un plan génial, aussi bon que n'importe lequel des siens. Mais il faut le reconnaître, la surveillance, c'est passif. On ne peut pas aller chercher la vérité; il faut la laisser venir à soi. Et si elle ne venait jamais?

Un *aïe!* de douleur lui indique que la partie est terminée. C'est l'heure de passer au vestiaire pour y subir un autre talent athlétique de Shank : le claquage de serviette. Cette fois cependant, quand le petit costaud vient s'asseoir à côté de lui sur le banc, il n'est pas armé.

— Tu sais, Justice, tu me tapes vraiment sur les nerfs.

— Qu'est-ce que *j'*ai fait? s'exclame Griffin, interloqué.

— Ma vie serait-elle follement amusante au point de rater une occasion de te lancer un ballon à travers le crâne? Je ne crois pas.

— Qui t'en empêche? demande Griffin.

— Toi! T'es tellement… *gentil!* Ça me gâche tout mon plaisir!

— Dans ce cas, ignore-moi, réplique Griffin.

— Je peux pas. L'endroit est rempli des pires voyous du coin et moi, je survis en étant encore pire qu'eux. C'est nul, mais au moins ça a du sens. Sauf pour toi.

Pourquoi faut-il que Sheldon Brickhaus soit la seule personne à comprendre que Griffin n'est pas à sa place à Taule pour Enfants? Pourquoi la police ne le comprend pas? Pourquoi la juge Koretsky ne le comprend pas?

Malgré tout, si ses amis n'arrivent pas à retrouver la bague du Super Bowl, la juge va le condamner à aller dans un endroit bien pire encore.

La rue Honeybee est idéale pour faire de la trottinette : elle est en pente douce et sa chaussée a été refaite il y a peu de temps.

Lindsay Egan, onze ans, file allègrement sur l'asphalte, le vent bruissant dans ses longs cheveux blonds qui dépassent de son casque. Elle a beaucoup travaillé son équilibre et cela se voit.

Une autre trottinette arrive en sens inverse. Le garçon qui la conduit a du mal à la pousser jusqu'en haut de la côte. Quand Lindsay le croise, il la salue :

— Bonjour!

Ce ne sont que deux syllabes, mais Logan les prononce à la façon du personnage créé pour se lier d'amitié avec Lindsay. Malheureusement, la fillette passe trop vite pour le remarquer et ne l'a probablement même pas entendu.

Nullement ébranlé, Logan fait demi-tour et se lance à sa poursuite. Maintenant qu'il descend la pente douce, il prend de la vitesse et entend le vent siffler à ses oreilles. Il trouve que c'est bien plus facile dans cette direction. La gravité faisant le plus gros du travail, cela lui permet de consacrer toute son énergie à son rôle.

Entre-temps, Lindsay est arrivée au coin de la rue. Elle fait demi-tour et commence à la remonter.

— Belle trottinette! lui lance Logan lorsqu'elle passe à côté de lui.

— Merci, répond la fillette en poursuivant sa route.

C'est mieux, mais on ne peut pas encore appeler ça une relation. Il n'arrivera jamais à la connaître assez pour la faire parler de la bague du Super Bowl si la seule chose qu'ils font, c'est se croiser à trente kilomètres à l'heure.

Il arrive un moment dans la carrière d'un acteur où il doit oser un choix artistique audacieux. Si Logan veut sauver sa performance, c'est maintenant.

Il jette un coup d'œil par-dessus son épaule et

s'assure que Lindsay est bien rendue en haut de la côte, prête à redescendre. Puis, il prend son élan et pousse du plus fort qu'il peut sur l'asphalte pour atteindre la vitesse maximale. Il heurte ensuite volontairement le bord de la chaussée de plein fouet et franchit le trottoir en vol plané.

L'arbuste qu'il visait, celui qui semblait doux et moelleux de loin, n'est pas comme il l'avait imaginé. Sa tête frappe du bois dur et des douzaines d'épines pointues lui déchirent la peau.

Il n'a même pas besoin d'avoir recours à ses talents d'acteur pour crier de façon crédible. Il pousse un authentique cri de douleur.

Lindsay accourt aussitôt à ses côtés.

— Es-tu vivant?

— Pas sûr, répond-il d'une voix faible. J'ai mal à la tête et... Pourrais-tu m'aider à sortir de cet arbuste?

Elle l'aide à se relever.

— Tu es couvert d'égratignures. Et il faut mettre de la glace sur la bosse de ta tête. Viens, suis-moi.

Elle lui fait signe de la suivre.

— Et les trottinettes? proteste-t-il mollement.

— On reviendra les chercher. J'habite tout près.

Logan se laisse entraîner. En marchant, il passe devant la lucarne du grenier, là où il sait que le reste de l'équipe l'observe avec beaucoup d'intérêt.

***

Les yeux plissés, Ben regarde la scène par la fenêtre avec consternation.

— Pourquoi est-ce qu'elle lui tient la main?

Savannah, l'œil collé au téléobjectif, a une meilleure vue.

— Je pense qu'il *saigne*.

— Ne te fais pas de soucis, lâche Pic avec ironie. Les bons acteurs sont capables de saigner sur commande.

— Qu'est-ce qui t'est arrivé? demande Lindsay. Un instant, tu roules normalement et l'instant d'après, tu t'envoles!

— Je ne m'en souviens plus, répond Logan, mais si tu veux mon avis, ils auraient pu trouver un meilleur endroit pour planter leur arbuste.

Elle rit :

— Je m'appelle Lindsay.

— Moi, c'est Logan. Tu es nouvelle dans le coin, pas vrai?

— Oui, on vient juste d'emménager. On vivait plus au nord avant. Fais attention aux plates-bandes de fleurs, ajoute-t-elle lorsqu'ils remontent l'allée qui mène jusqu'à la maison des Egan. Je suis en train d'y planter des bulbes pour le printemps : des tulipes, des jonquilles, des jacinthes. J'adore les fleurs printanières.

— Ah ouais... moi aussi, dit Logan.

Il note mentalement de faire des recherches sur Wikipedia. Un acteur doit souvent se documenter pour étoffer un rôle.

Ils entrent par la porte principale et elle lui montre où se trouve la salle de bain.

— Tu peux te débarbouiller ici. Je vais aller chercher de la glace pour ta bosse. Elle est en train de virer au bleu foncé.

— Merci.

Logan est satisfait de lui-même. *Ça*, c'est la preuve que le travail d'acteur donne des résultats. Toute cette escalade dans les arbres et sur le toit, toute cette technologie... et qu'est-ce qu'ils obtiennent? Une vue médiocre sur quelques fenêtres, et des bruits de télé et de chasses d'eau. Mais une petite performance d'acteur, et le voici en plein dans l'antre du diable. Ça ne serait pas formidable s'il trouvait la bague avant même que la surveillance soit en branle? Il serait un héros!

Son esprit s'emballe à cette idée. Serait-il préférable dans ce cas de s'emparer tout de suite de la bague? Ou alors ferait-il mieux de la laisser à sa place et de revenir en compagnie des policiers? Ce serait la preuve que M. Tyran l'a prise...

Logan s'asperge le visage d'eau. Les coupures lui font encore mal, mais c'est un bien petit prix à payer pour réussir brillamment un rôle. Quand il sort de la salle de bain, il se sent beaucoup mieux. Lindsay lui fait signe de la rejoindre dans la cuisine.

— Je n'ai pas de glace, mais ces pois surgelés devraient faire l'affaire.

C'est à ce moment, le sac de légumes surgelés collé au front, que Logan fait une découverte étonnante. Là, sur le comptoir, juste à côté du grille-pain, se trouve une petite boîte à bijoux en velours bleu.

La bague? Il n'y a qu'une façon de le savoir. Il doit jeter un coup d'œil dans la boîte. Mais comment faire avec Lindsay debout devant lui? Il est en train de réviser mentalement ses différents trucs de théâtre quand le bruit d'une portière qui claque lui parvient.

Un instant plus tard, M. Tyran apparaît dans l'entrée.

15

Logan panique comme un acteur ne devrait jamais le faire. Il plaque le sac de pois sur son visage et bredouille :

— Je dois y aller!

Puis, il passe en trombe devant le directeur abasourdi et sort.

— C'est seulement mon père... commence Lindsay.

Mais Logan a déjà disparu.

— Bien joué, Kellerman, lance Pic un peu plus tard, dans le centre du commandement de l'opération Surveillance. Surtout pour les pois. Tu devrais être nominé pour l'oscar du Meilleur maquillage : le premier acteur à abolir la barrière végétale.

— OK, c'est bon, j'ai paniqué, admet Logan honteusement. Quand j'ai aperçu Egan, je me suis vu en train de pourrir à Taule pour Enfants avec la racaille de la société.

— Merci beaucoup, commente Griffin depuis l'ordinateur.

Logan se laisse tomber sur une boîte de vieux magazines *National Geographic* et tente de reprendre son souffle. Ne voulant pas attirer le directeur tout droit chez les Drysdale, il a récupéré sa trottinette et roulé dans le quartier pendant quarante-cinq minutes, jusqu'à ce que la voie soit libre. Il a enduré courageusement la douleur causée par l'infiltration de sueur salée dans ses nombreuses coupures, afin de retourner au centre du commandement pour annoncer sa découverte ultra importante à l'équipe.

— Les amis, je pense que je sais où est la bague!

— Où? demandent-ils tous en chœur, y compris Griffin par le haut-parleur.

— J'ai vu une boîte à bijoux sur le comptoir de la cuisine. Je n'ai pas pu regarder à l'intérieur. Egan est arrivé juste au moment où je l'ai aperçue.

— Qui garde ses bijoux dans la cuisine? demande Ben, perplexe.

— Personne, conclut Griffin, à moins de vouloir l'apporter ailleurs.

— Il veut la vendre! s'exclame Pic.

— Ou peut-être qu'il veut la faire fondre pour récupérer l'or et les diamants, suggère Savannah avec anxiété.

— On ne peut pas le laisser faire ça! s'inquiète Griffin. Après, on ne pourra jamais prouver que c'était bien la bague d'Art Blankenship!

— Je peux déplacer une des caméras, propose Pic. Trouver un angle qui donne sur la fenêtre de la cuisine.

— Ça ne serait pas assez clair, tranche Griffin. On doit être sûrs. Logan, est-ce que tu peux retourner dans leur maison?

— Sans problème, répond Logan, sûr de lui. Je pense que Lindsay m'aime bien.

— Je ne sais pas si c'est une bonne idée, s'empresse de dire Ben. Tu es vraiment passé pour un fou là-bas. En plus, tu es parti avec leurs pois surgelés.

Logan le regarde de travers.

— Un acteur doit apprendre à improviser et à corriger ses petites erreurs. D'ailleurs, pour les pois, je vais les leur rapporter.

— Je ne crois pas, dit Melissa de sa voix calme.

Tous les yeux se tournent vers l'endroit qu'elle désigne, là où l'énorme museau de Luthor disparaît dans le sac de légumes éventré sur le plancher.

Savannah bondit aussitôt, attrape le gros chien par le collier et l'éloigne d'un coup sec de son goûter.

— Luthor! Tu sais bien que les légumines te donnent des gaz!

— On doit agir vite, les presse Griffin. Demain après l'école. Logan, tu seras prêt?

— J'ai une répétition pour la pièce ce soir, répond Logan, et j'ai besoin de temps pour faire des recherches sur les fleurs si je veux aider Lindsay à planter ses bulbes. Ce serait une bonne entrée en scène.

— Ne t'inquiète pas. Ben va faire les recherches pour toi.

— Pas question! explose Ben. Pourquoi est-ce que je devrais l'aider à plaire à Lindsay?

— Je ne cherche pas à lui plaire, proteste Logan. J'ai juste besoin d'une raison pour retourner chez elle et l'aider avec ses plantations. Ensuite, je demanderai si je peux utiliser la salle de bain et j'en profiterai pour jeter un coup d'œil dans la boîte à bijoux.

— Je t'enverrai ça par courriel ce soir, dit Ben, mais tu as intérêt à t'en servir seulement pour ça.

C'est à cet instant que l'accumulation de pois dans le système digestif de Luthor provoque l'effet tant redouté.

La réunion est ajournée sur-le-champ.

16

Le lendemain, quelques minutes avant la fin de la dernière période, Logan sort en douce du labo de science et se précipite à son casier. En y rangeant ses livres, il s'arrête un moment pour examiner son reflet dans le miroir fixé à l'intérieur de la porte, entouré d'un ovale d'étoiles. Ses coupures et ses égratignures aux gales foncées sont plus visibles que jamais. Quant à la bosse sur son front, elle est carrément devenue violette. Il n'est sûrement pas à son meilleur, mais cela lui donne un genre intéressant. Les acteurs doivent apprendre à composer avec ce qu'ils ont sous la main.

Lors de la répétition de la veille, Mme Arturo, la metteure en scène d'*Ave César*, a sursauté en l'apercevant. Par chance, elle était maquilleuse à l'époque où elle travaillait sur Broadway. Elle lui a expliqué que toutes les imperfections de la peau, aussi graves soient-elles, peuvent disparaître quand on utilise la bonne poudre. La mère de Logan, par contre, n'a jamais travaillé en théâtre. Pourquoi les gens qui ne sont pas du domaine de la scène réagissent-ils de manière aussi émotive?

Il verrouille son casier et se dirige vers l'escalier.

À mi-chemin, il croise le directeur.

M. Egan le regarde par deux fois.

— Logan, qu'est-ce qui t'est arrivé? Ton visage…

— Ah, euh… Des piqûres de moustiques, répond-il. J'ai dû les gratter dans mon sommeil.

— Tu ferais mieux de te faire une nouvelle application de pois surgelés quand tu viendras à la maison, dit le directeur en lui décochant un sourire en coin.

Logan se précipite hors de l'école. Ainsi, M. Tyran a deviné que c'était lui qui se cachait derrière le sac de légumes surgelés. Et maintenant, il retourne dans sa maison une deuxième fois.

Il n'a pas le choix, le spectacle doit continuer! Tant que Griffin est condamné à Taule pour Enfants, le plan est la seule chose qui compte.

Logan se rend tout d'abord à l'école primaire de Cedarville. Cela lui fait drôle de penser que l'an dernier encore, ses amis et lui fréquentaient tous cette école. Comment a-t-elle pu rapetisser autant en seulement quelques mois?

La cloche annonçant la fin des classes retentit. Logan s'assoit sur une grosse pierre tout près de la sortie des élèves de sixième année. Peu après, la cour de l'école est remplie d'enfants. Mais Logan n'a d'yeux que pour une seule d'entre eux.

— Salut Lindsay!

Elle s'approche de lui, l'air ravi.

— Logan! Qu'est-ce que tu fais ici?

— Je passais dans le coin.

Elle rit.

— Comme ça, c'est aussi *ton* coin, par ici?

— Je me suis souvenu que tu voulais planter des bulbes aujourd'hui, alors je me suis dit que je pourrais te donner un coup de main. J'ai beaucoup d'expérience là-dedans.

Du moins, il a suffisamment de notes fournies par Ben pour faire semblant. Malgré ses protestations, le gringalet lui a finalement fait parvenir la veille quatre pages de renseignements à propos des bulbes printaniers.

— Génial! fait Lindsay en souriant de plus belle.

Tandis qu'ils marchent vers la rue Honeybee, elle lui fait un aveu.

— Tu sais Logan, mon père m'a, disons, conseillé de me tenir loin de toi. Il m'a dit : « Si c'est le Logan auquel je pense, il fait partie de la bande dont Celia White parle dans ses chroniques. »

Oh, oh… ! Voilà le genre de rumeur qui peut saper une performance.

— Hum… Euh… Et *toi*, qu'est-ce que tu penses de ça?

— Eh bien, je suis avec toi en ce moment, pas vrai? Je respecte mon père, mais je ne le laisse pas choisir mes amis à ma place.

Une fois chez elle, Lindsay ouvre la porte, lance son sac dans l'entrée et crie :

— Maman, je vais jardiner un peu!

Elle entre ensuite dans le garage et en ressort avec deux transplantoirs et un plein panier de bulbes. Quelques minutes plus tard, ils sont tous les deux à genoux, côte à côte, en train de creuser des trous et d'y planter des bulbes de jonquilles pour le printemps prochain.

— J'espère que tu en as pris des bleues, dit Logan en creusant. Ce sont les plus rares.

Lindsay le regarde d'un air bizarre.

— Toutes les variétés de jonquilles sont jaunes.

— C'est ce que je disais : les bleues sont les plus rares, répète-t-il avec un air bravache en se disant qu'il a dû mal lire la note à ce sujet. Je sais qu'au Canada, on considère les bulbes comme un mets très raffiné, ajoute-t-il pour tenter de sauver la face.

— Impossible, ils sont toxiques, réplique Lindsay en se penchant par-dessus son épaule. Qu'est-ce que tu fais? Tu creuses un tunnel vers la Chine?

— Mais... les bulbes doivent être plantés à au moins 60 centimètres dans le sol.

— Logan! s'écrie-t-elle. Où as-tu appris à jardiner? Quinze centimètres, c'est bien assez.

— Mais... mais...

Il se relève, très troublé. Pourquoi Ben lui a-t-il fourni de faux renseignements? Comment un acteur peut-il jouer son rôle si le texte est bourré de fautes?

— Je dois aller aux toilettes! lance-t-il à la hâte en se ruant dans la maison.

Sa performance est gâchée. Tout ce qu'il lui reste à faire, c'est jeter un coup d'œil dans la boîte à bijoux et partir d'ici. Sa prestation ne lui vaudra aucun oscar, mais au moins, il aura accompli sa mission.

Il pousse brusquement la porte et fonce vers la cuisine.

— Oh! Bonjour... Je suis la mère de Lindsay.

Oh, non! Mme Tyran!

— Euh... Bonjour! dit Logan, les yeux rivés avec envie sur la petite boîte en velours bleu, si près et pourtant, si loin.

— Tu dois être le garçon aux pois surgelés. Logan, c'est bien ça? dit Mme Egan. J'imagine que ta mère s'est inquiétée en voyant l'état de ton visage.

Logan est pris d'un trac fou, paralysant. Il n'est pas certain de pouvoir survivre à cette humiliation. Non seulement est-il en train de tout ficher en l'air, mais en plus, il sait que là-haut, dans le grenier de Savannah, ses amis entendent chacun des mots qu'il ne prononce pas, grâce au micro installé dans la cheminée.

Il tente de marmonner « Ravi de vous rencontrer. », mais cela ressemble plutôt à « Ma vie est un conte de fées. » Son visage doit être écarlate quand il ressort de la maison, car Lindsay fait un effort supplémentaire pour être gentille avec lui.

— Ne t'en fais pas, Logan. Je vais t'apprendre tout ce qu'il faut savoir à propos du jardinage, lui dit-elle en lui serrant affectueusement la main. Je reviens tout de suite.

Elle traverse le perron d'un pas léger et disparaît à l'intérieur de la maison.

Dès que la porte se referme derrière elle, le couvercle de la boîte à bois s'ouvre d'un coup sec. Ben Slovak en sort, transformé en véritable petit tourbillon de colère.

— Tu es cuit, Kellerman!

Logan n'aurait pas été plus étonné si un tentacule géant en avait surgi et l'avait attrapé.

— Tu n'es pas au centre du commandement? Pourquoi? Tu m'espionnes ou quoi?

— Oh, quelle horreur! raille Ben. Pas question d'espionner qui que ce soit… sauf avec des caméras planquées dans les arbres, un micro dans la cheminée et un téléobjectif de l'autre côté de la rue!

— Fiche le camp! siffle Logan. Elle peut revenir d'un instant à l'autre!

— Tu aimerais ça, pas vrai? susurre Ben. Comme ça, tu l'aurais pour toi tout seul… toi et tes pelles et tes bulbes!

— Ce n'est pas ce que tu penses! Je joue la comédie!

— Ouais... tu joues comme un pied!

— Au moins, je fais mon travail! se défend Logan. On ne peut pas en dire autant de toi : tu m'as donné un paquet de faux renseignements! J'aurais pu mordre dans un de ces bulbes et tomber raide mort!

Tout d'un coup, les deux garçons se rendent compte que leur discussion est couverte par un gros jappement sonore.

— Luthor! s'écrie Ben, haletant.

— Le signal! renchérit Logan.

Cela ne peut vouloir dire qu'une chose : la bande du grenier a aperçu l'auto de M. Egan.

En un clin d'œil, la colère qui les habitait s'évanouit et une course contre la montre s'enclenche. Ils traversent à toute allure et plongent derrière la haie des Drysdale une fraction de seconde avant que la Hyundai du directeur ne passe devant eux. Puis ils entrent en coup de vent dans la maison des Drysdale et font sursauter la mère de Savannah, qui fouille dans une armoire remplie d'une douzaine de sortes de nourriture pour animaux.

— Oh! Bonjour les garçons...

Mais ils ont déjà gravi la moitié de l'escalier qui mène au grenier.

Quand Pic les accueille, elle est au bord de la crise de nerfs.

— C'était quoi ça? Êtes-vous devenus fous tous les deux? Ben, qu'est-ce que tu faisais dans la boîte à bois?

— Je devais empêcher notre Roméo de laisser son amour pour Lindsay entraver la bonne marche du plan!

Logan est furieux.

— Pour la vingtième fois, elle ne me plaît même pas! Mais peut-être qu'à toi, oui!

Pour Ben, c'est la goutte qui fait déborder le vase. Il se jette sur Logan, qui est pas mal plus grand que lui, et l'envoie trébucher à reculons contre le trépied de la caméra qui s'écrase avec fracas, et un bruit de verre brisé retentit : c'est le téléobjectif.

Fouineur sort comme une flèche de sous le chandail de Ben et va trouver refuge sur une poutre, tandis que Ben continue de serrer Logan à la gorge, sans vouloir lâcher prise.

— Ce... n'est... qu'un... rôle! insiste Logan en repoussant Ben contre la table sur laquelle se trouvent les trois ordinateurs portables.

Seuls les efforts désespérés de Melissa parviennent à empêcher que toute l'installation ne s'écroule.

— Qu'est-ce qui se passe? résonne la voix de Griffin dans le grenier. Êtes-vous tous devenus dingues?

Pic et Savannah agrippent chacune un combattant, mais elles ne réussissent pas à séparer Ben et Logan.

— Ça suffit, les gars! les supplie Savannah. Ma mère est à la maison!

C'est alors qu'une autre voix retentit dans le centre du commandement. Elle sort du haut-parleur du troisième ordinateur, celui qui est relié au micro dans la cheminée. Le silence se fait aussitôt dans le grenier. C'est la voix de M. Tyran :

— O.K, je n'en ai pas pour longtemps. Je fais un saut chez le bijoutier pour déposer ça et je reviens.

17

Les cinq membres de l'équipe se serrent devant la lucarne. Le souffle court, ils regardent leur directeur sortir de la maison et monter dans sa voiture, la petite boîte en velours bleu à la main. Il recule, descend la rue, puis vire à gauche en direction du centre-ville.

— Qu'est-ce qui se passe? demande Griffin dans un râle où perce l'affolement.

— Ça y est, Griffin! s'exclame Ben, fou de joie. Il a la boîte et il s'en va à la bijouterie!

— Suivez-le! ordonne Griffin.

— Il est en auto! proteste Pic.

— Il n'y a qu'un seul bijoutier à Cedarville, réfléchit Griffin. C'est Konrad, sur la rue principale. Il faut qu'on photographie M. Tyran avec la bague en main!

Toute la bande se rue vers l'escalier. Au passage, Ben attrape Fouineur sur la poutre et le fourre sous son chandail. Savannah ouvre la porte à la volée... et tombe face à face avec sa mère. Elle est montée voir ce qui causait tout ce vacarme. En apercevant les écrans d'ordinateurs qui affichent des vues détaillées de la maison des Egan, les yeux lui sortent pratiquement de la tête.

— Savannah Marie Drysdale, j'espère que tu as une bonne explication pour tout ça!

— Oui… mais plus tard!

Mme Drysdale reste plantée seule avec Luthor, au milieu des ruines de l'opération Surveillance.

Là-haut dans sa chambre, Griffin fixe l'écran de son ordinateur. On y voit une Lindsay déconcertée, à côté de sa plate-bande, essayant de comprendre ce qui est arrivé à son partenaire de jardinage. Elle jette même un coup d'œil dans la boîte à bois dont le couvercle est resté ouvert. L'image de l'écran divisé montre que le centre du commandement installé dans le grenier de Savannah est désert.

— Hé, les amis! dit Griffin dans le micro. Il y a encore quelqu'un?

— Qui parle? répond Mme Drysdale d'une voix tranchante.

Son visage abasourdi apparaît sur l'écran de Griffin.

Le garçon sort en trombe de sa chambre et dévale l'escalier, mais une pensée le rattrape subitement.

Assignation à domicile! Je ne peux pas y aller!

Il n'a pas le droit de franchir la porte de sa maison, sauf pour se rendre à Taule pour Enfants. Ce n'est pas un règlement tout bête comme « on ne court pas dans les corridors ». C'est une loi, imposée par une vraie juge et appliquée par la police!

Griffin se sent déchiré. À moins d'un kilomètre de chez lui, à la bijouterie Konrad, l'événement le plus important de sa vie est sur le point de se produire… et il ne peut pas y assister.

Ce n'est pas qu'il n'a pas confiance en ses amis, mais tellement de choses peuvent aller de travers. Il est possible qu'ils arrivent trop tard et qu'ils ratent le moment où la bague sera visible. Ou encore trop tôt, et qu'ils se fassent repérer. Dans ce cas, M. Tyran se gardera bien de montrer la bague au grand jour.

Ils peuvent manquer la photo, ce qui la rendrait inutilisable comme preuve. Ou, dans l'urgence de se rendre à la bijouterie, oublier d'apporter l'appareil photo. Et s'ils ne réussissent pas aujourd'hui, il n'y aura pas de deuxième chance. L'opération Surveillance cafouille, le centre du commandement est en péril et le directeur se douterait qu'ils le soupçonnent.

Griffin a pris sa décision. Ses amis sont super, les meilleurs en fait, mais un plan nécessite un maître planificateur pour réussir. Et aucun d'eux ne l'est.

Il faut que je sois là!

En enfilant son blouson, il se demande où se trouvent ses parents en ce moment, eux qui n'approuveraient certainement pas son initiative. Sa mère est dans la cour et range sa serre avant l'hiver. Son père travaille sur le Zéro-Mulot dans le garage.

Oh, oh... Le vélo de Griffin est dans le garage. Impossible d'aller le chercher sans se faire voir de son père. Il ouvre le placard et chausse ses vieux patins à roues alignées. Ils sont un peu justes, mais avoir mal aux pieds est le dernier de ses soucis en ce moment.

Il empoche le cellulaire de son père muni d'un appareil photo et se glisse dehors en prenant bien soin de ne pas claquer la porte. Si son père ou sa mère a l'idée d'aller voir ce qu'il fait et s'aperçoit qu'il a disparu, les conséquences seront épouvantables! Au final cependant, une fois la bague retrouvée, tout rentrera dans l'ordre : avec ses parents, avec la juge et même avec l'école. Griffin a tellement hâte de voir leur visage s'illuminer quand il sera reconnu innocent. Quant à Celia White, elle serait obligée de publier une lettre d'excuse mémorable dans sa chronique inutile.

Il manque de débouler les marches du perron, mais il parvient à se redresser à temps et s'élance à toute vitesse dès qu'il touche la chaussée. Chacune de ses longues poussées puissantes le rapproche un peu plus du centre-ville.

Griffin croise une voiture de police en tournant sur la rue principale. Une folle panique s'empare de lui, mais il fait de son mieux pour ne pas avoir l'air d'un fuyard. La voiture poursuit sa route. Le policier ne l'a pas reconnu.

Le garçon aperçoit l'auvent doré de la bijouterie

Konrad, deux coins de rue plus loin.

Au même moment, une voiture grise débouche d'une rue secondaire et s'engage sur la rue principale. C'est M. Tyran! Griffin aurait-il couru un tel risque pour arriver trop tard?

Il patine de toutes ses forces, canalisant dans ses jambes la moindre parcelle d'énergie. Ses muscles élancent et sa gorge brûle. Oh, non! Le directeur est devant la bijouterie.

Un instant... Il n'a pas de place pour se garer! Youpi! La voiture continue d'avancer. Le directeur trouve un emplacement libre un peu plus loin sur la rue, après la boutique.

Griffin y est presque. Plus qu'un coin de rue avant d'atteindre l'auvent doré...

La bicyclette surgit de nulle part, en plein sur sa trajectoire. Dans une tentative désespérée pour éviter un accident, Griffin tend les bras et attrape la cycliste. Sa vitesse est telle qu'ils passent très près de s'écraser contre un mur de brique, mais au dernier moment, elle parvient à rectifier la trajectoire. Ils s'immobilisent enfin, tout tremblants.

— *Griffin!* siffle Savannah. Tu es assigné à résidence!

— Je ne le serai plus dans quelques minutes, murmure-t-il. Vite, cachons-nous!

Ils se précipitent au coin de l'immeuble et jettent

un coup d'œil furtif de l'autre côté du mur. Le directeur semble avoir de la difficulté à se garer dans les espaces étroits. Cela leur donne un moment pour reprendre leur souffle.

— Où sont les autres? s'empresse de demander Griffin.

— Ils courent.

Comme de fait, il voit arriver le reste de l'équipe sur le trottoir, Pic-la-sportive en tête.

Une portière se ferme. M. Egan traverse la rue et se dirige vers la bijouterie Konrad. Griffin patine à la rencontre des coureurs, un doigt sur les lèvres. En cet instant décisif, le simple bruit d'une forte respiration pourrait suffire à révéler leur présence.

Malgré leur surprise de voir Griffin ici, les nouveaux venus restent silencieux. Ben et Logan, meurtris et en sueur, échangent des regards furieux. Mais le plan passe en premier.

Le tintement de la clochette leur confirme que le directeur vient d'entrer chez Konrad. Ils tournent le coin et avancent à pas de loup vers la bijouterie, en prenant soin de rester penchés. Lentement (avec une lenteur mortelle à vrai dire), Griffin se redresse pour scruter l'intérieur de la boutique par la fenêtre.

M. Egan est le seul client. La boîte à bijoux, toujours fermée, est sur la vitrine qui tient lieu de comptoir. Le directeur ouvre le fermoir et soulève le couvercle du boîtier.

— Maintenant! murmure Griffin.

Il ouvre la porte à toute volée et entre dans la boutique en patinant, le reste de la bande sur ses talons.

M. Egan lève les yeux, interloqué. Son regard se pose sur Griffin en premier.

— Toi!

En un clin d'œil, Griffin brandit le cellulaire hors de sa poche, cadre le directeur debout à côté de la boîte à bijoux ouverte et prend six clichés rapides.

Les flashes crépitent. Les membres de l'équipe jouent du coude pour avoir le meilleur point de vue sur la scène. Si quelqu'un peut dire qu'il se fait prendre la main dans le sac, c'est bien M. Egan.

Au même moment, tous les six remarquent le contenu de la boîte à bijoux. C'est une vieille broche en or à laquelle il manque une perle.

— Ce n'est pas la bague du Super Bowl! laisse échapper Ben.

On ne pourrait dire plus vrai.

— Attendez-vous à de sérieuses conséquences, lâche le directeur d'une voix glaciale.

18

Le bracelet électronique est agaçant, inconfortable et il lui serre la jambe. Griffin sent qu'il ne s'y habituera jamais... de la même façon qu'il ne s'habituera jamais à la raison qui l'oblige à le porter.

— Le BSÉP est un dispositif sans fil. Il envoie un signal à l'équipement de surveillance qu'on a installé dans votre sous-sol, débite le sergent-détective Vizzini après avoir refermé d'un coup sec le bracelet autour de la cheville de Griffin.

— Le BSÉP? demande timidement M. Bing.

— Le bracelet de surveillance électronique de la police. J'ai réglé son rayon à soixante mètres, ce qui devrait suffire à couvrir la maison et presque toute la cour. Si tu dépasses cette limite, une alarme se déclenche automatiquement au poste de police. Le voyant lumineux vert va clignoter et tu auras dix secondes pour revenir à l'intérieur de la limite permise. Passé ce délai, le voyant devient rouge.

Il jette à Griffin un regard inexpressif et ajoute :

— Et ça, tu ne veux pas que ça arrive.

Le pire avec ce truc, c'est que la mère de Griffin ne peut s'empêcher de sangloter chaque fois qu'elle le regarde.

— Je ne peux pas croire que ça nous arrive à nous! Notre fils n'est pas un criminel! Pourquoi voudrait-il la broche de la grand-mère de Mme Egan? Vous ne comprenez donc pas que s'il cherche la bague, c'est qu'il ne l'a pas?

— Ce que je comprends, répond Vizzini, c'est que la cour l'avait assigné à résidence et qu'il n'a pas respecté l'ordonnance. Bon, Griffin, si tu essaies d'ôter le bracelet, l'alarme sonne. Si tu essaies de déplacer l'équipement au sous-sol, l'alarme sonne. Si tu essaies de bidouiller les réglages, l'alarme sonne. En gros, tu es toujours assigné à résidence. Le seul changement, c'est que cette fois, tu dois t'y conformer. Des questions?

— Et l'école? demande Griffin.

— Tu es autorisé à y aller. N'en abuse pas. TE nous tiendra au courant durant la journée. Et ne t'inquiète pas pour la douche : ce bidule est indestructible.

Avant de partir, Vizzini prend l'empreinte de la carte de crédit de M. Bing. C'est l'insulte suprême. Le service de police de Cedarville fait payer le bracelet au prévenu à raison de 39,95 $ par jour, en plus d'un dépôt de sécurité. Comme si Griffin allait voler cet élégant accessoire de mode.

— Eh bien, Griffin... dit M. Bing qui a l'air de ne pas avoir dormi depuis longtemps. Je n'ai pas besoin de te préciser que tu as maintenant de gros ennuis.

— Mais je suis *innocent*, proteste Griffin. Vous avez dit que vous me croyiez.

— On te croit, dit sa mère entre deux sanglots, mais quand je vois cet affreux bidule à ta cheville, je me demande quelle différence ça fait. C'est peut-être fou de me part de penser ça, mais je préférerais te savoir coupable et en finir avec cette histoire, plutôt qu'innocent, mais prisonnier de ce bracelet d'acier.

— Une chose est sûre, continue son père avec un air grave, ta réputation auprès de la police locale ne nous aide pas du tout. Les agents n'ont plus aucune confiance en toi, alors leur demander de te croire, c'est beaucoup trop.

Pour Griffin, c'est le coup fatal. Depuis le début de cet horrible cauchemar, la seule chose qui le soutient, c'est de savoir que ses parents le croient. Ils le croient encore, plus ou moins. Mais ils semblent aussi l'accuser, comme si cette malheureuse histoire sur laquelle il n'a aucun contrôle, était quand même sa faute. C'est comme si son innocence ne comptait même plus à leurs yeux.

Si sa mère et son père ne lui apportent plus leur soutien, alors qui le fera?

Ses amis? Ce sont les meilleurs amis du monde, loyaux jusqu'à la fin… mais justement, ce pourrait bien *être* la fin. Au téléphone, Ben lui a dit que tous les cinq avaient des ennuis majeurs à la maison à cause de l'opération Surveillance, surtout Savannah, dont les parents avaient les preuves dans leur grenier. Au moins, le reste de l'équipe n'a pas eu de démêlés avec la police, M. Tyran n'ayant pas découvert les caméras cachées dans les arbres et le micro dans sa cheminée... mais tous ont reçu l'interdiction de fréquenter Griffin Bing.

L'Homme au Plan est devenu l'Homme au Blâme. Il a un bracelet à la cheville qui prouve sa culpabilité.

Le pire, c'est que malgré tout ce qu'il a enduré, toute l'angoisse qu'il a causée à ses parents et tous les ennuis que ses amis ont eus à cause de lui, Griffin constate que la question la plus importante demeure toujours sans réponse :

Où est la bague du Super Bowl d'Art Blankenship?

19

Il est 20 h passées et Celia White est toujours à son bureau.

Cela n'a rien d'extraordinaire. Elle travaille toujours tard en soirée. Dévoiler le côté sombre de Cedarville et des environs, ça ne se fait pas de jour, entre 9 h et 17 h, sauf qu'elle est seule dans les bureaux du *Herald*. À ses débuts dans le métier, il n'était pas rare que la salle de rédaction fourmille jusque tard dans la nuit, remplie de journalistes suivant des nouvelles de dernière minute et fignolant leurs textes jusqu'à la perfection. À présent, la plupart des journalistes semblent avoir d'autres priorités... Oh! comme elle s'ennuie de cette époque!

Si aucun de ses collègues ne semble tirer fierté de son travail, Celia White, elle, se sent responsable vis-à-vis de ses lecteurs. C'est pourquoi elle restera aussi longtemps qu'il le faudra pour finir sa chronique sur les jeunes en déroute de sa ville natale.

Mais pas sans avoir d'abord avalé un petit souper.

Quand elle sort chercher son sandwich au fromage dans la boîte à gants de sa voiture, la porte du placard s'ouvre lentement et laisse paraître une silhouette sombre. Pic Benson se presse vers le bureau de la journaliste, se déplaçant à pas de loup dans la pièce vide. Si M. Egan n'a pas la bague (et même *ça*, ils n'en sont pas absolument sûrs), c'est donc qu'un autre suspect l'a en sa possession. Griffin n'a aucune chance de trouver le vrai coupable à présent, pas avec un bracelet de surveillance électronique à la cheville. C'est donc à ses amis d'agir à sa place.

La jeune fille ouvre les tiroirs un à un et se met à fouiller...

Le sac de sport, rempli à craquer, est posé juste sous le rebord de la fenêtre.

Accroupi près de la maison des Vader, Ben scrute la chambre par la fenêtre. Aucun signe de Darren. Ben n'aura jamais une meilleure occasion que celle-ci.

La fenêtre est ouverte d'une dizaine de centimètres à peine, mais c'est assez pour qu'il puisse y faire glisser le vieux détecteur de métal de plage de son père. Il passe l'assiette de l'appareil au-dessus du sac, les oreilles aux aguets pour ne pas rater le bruit qui indiquerait la présence de métal... le métal d'une bague du Super Bowl.

— Je m'en vais à mon entraînement, maman! lance la voix de stentor de Darren quelque part dans la maison. Je prends un Gatorade et je pars.

Oh, oh... Ben retire l'appareil par son long manche

et se cache dans les arbustes, ne regardant par-dessus le rebord de la fenêtre que d'un œil.

Au bout d'un moment, Darren paraît, une bouteille de Gatorade de deux litres dans sa grosse main. À toute vitesse, Ben se plaque contre le mur de la maison pour se mettre hors de vue.

Darren avance jusqu'à son sac, débouche la bouteille et en boit une longue gorgée. Puis, d'un même mouvement, il ouvre la fenêtre et verse le reste de la boisson dans les arbustes.

Le costaud esquisse un grand sourire satisfait en entendant le cri de surprise qui en jaillit.

— Hé, Slovak! appelle-t-il depuis la fenêtre. Tu es nul comme espion. Dis à Bing qu'il ferait mieux de ne pas essayer de me faire porter le chapeau. Compris?

Trempé, sale et profondément humilié, Ben bat en retraite. Il quitte le terrain des Vader en rampant, le détecteur de métal à la traîne derrière lui.

— Et tu me dois une bouteille de Gatorade! ajoute Darren. À cause de toi, j'ai gaspillé celle-ci!

C'est un Fouineur humide, collant et à l'air piteux qui sort du col de Ben en lui lançant des regards noirs.

— Désolé, mon vieux, lui murmure rapidement Ben.

C'est la seule excuse que Ben a le temps de lui adresser. Il doit rapporter le détecteur de métal chez lui et rejoindre ses amis à l'école avant le début des exercices matinaux.

Melissa prend les papiers qui sortent de l'imprimante et les fourre dans le sac d'ordinateur portable qui lui sert de sac d'école. Depuis le fiasco à la bijouterie, elle surveille les courriels des quatre suspects : Celia White, Darren Vader, Tony Bartholomew et M. Egan.

Le casier de Ben leur sert de lieu de rendez-vous, pour deux raisons. La première, il se trouve près de l'entrée, ce qui leur permet de se précipiter dehors dès que les exercices commencent. La deuxième, il est voisin du casier de Griffin. Cette porte close, et l'absence de leur ami leur rappelle qu'ils ne peuvent pas abandonner tant que justice n'a pas été rendue pour l'Homme au Plan.

Ben, Pic et Logan sont appuyés contre les casiers en métal beige quand Melissa arrive. Seule Savannah ne peut pas assister à la réunion. Depuis que ses parents ont découvert le centre du commandement, ils surveillent ses moindres faits et gestes. Partir pour l'école une heure plus tôt qu'à l'habitude serait très suspect alors que l'histoire de l'opération Surveillance est encore fraîche. Savannah doit donc être très prudente.

— C'est l'impasse du côté de Celia White, explique Pic aux autres. Il n'y avait que des bricoles dans son bureau. As-tu eu plus de chance avec Vader?

— Si être aspergé de Gatorade compte, alors oui, j'ai été chanceux, répond amèrement Ben.

Il tord le devant de son chandail à capuchon et un filet de liquide jaune s'en écoule.

— En tout cas, il n'avait rien dans son sac de sport, ajoute-t-il. Le détecteur n'a pas sonné.

— J'ai raté mon coup avec Tony Bartholomew, confesse Logan, l'air honteux. J'ai utilisé la méthode Stanislavski pour incarner son cousin de l'Arizona, mais il a tout de suite deviné mon jeu. Je n'étais probablement pas prêt à incarner ce rôle.

— Probablement, ironise Pic. Soit ça, soit il a reconnu un gars qu'il croise chaque jour à l'école.

— J'ai peut-être quelque chose sur Tony, intervient Melissa en sortant les papiers de son sac. Il a envoyé un courriel demandant des renseignements sur les bagues du Super Bowl et sur leur valeur. Peut-être qu'il essaie d'en vendre une.

— Ou peut-être qu'il s'intéresse à leur valeur parce qu'il considère que la bague disparue lui appartient, suggère Ben avec un soupir. Il faut le reconnaître : on est encore au même point. On ne peut même pas effacer M. Tyran de la liste des suspects. D'accord, il n'a pas apporté la bague chez le bijoutier, mais ça ne veut pas dire qu'il ne l'a pas.

Melissa écarte son rideau de cheveux et révèle des sourcils froncés.

— Il doit y avoir quelque chose qui nous échappe.

Pic hoche lentement la tête et dit :

— Vous savez ce qui m'agace depuis le début? Comment se fait-il qu'une bague du Super Bowl ait pu rester toutes ces années dans la réserve de produits d'entretien sans que personne ne la remarque?

— Peut-être que personne ne l'a reconnue, propose Logan.

— Impossible, réplique Pic. M. Clancy a presque perdu la tête quand j'ai fait allusion aux Jets de 1969 et je parie qu'il va vingt fois par jour dans la réserve. Moi, je dis qu'on doit explorer cette piste.

L'espace de rangement sert également de bureau aux concierges de l'école. Il est situé à mi-chemin d'un escalier, tout près de l'entrée arrière de l'école. La zone de chargement se trouve d'un côté, tandis que de l'autre, l'escalier continue jusqu'à la salle des fournaises localisée plus bas, au sous-sol.

Le groupe avance prudemment, en se tenant à la rampe. La réserve se trouve en dehors des limites permises aux élèves. Aucun d'eux n'a envie de devoir expliquer ce qu'ils font là.

Une fois sur le palier, Pic jette un œil de l'autre côté du mur. Pas de concierge en vue.

— La voie est libre, chuchote-t-elle.

Ils aperçoivent le bureau dès qu'ils mettent le pied dans la zone de chargement. Le coin de M. Clancy est une symphonie de bleu et de blanc. L'endroit est rempli d'affiches de joueurs des Colts, de fanions et d'autocollants de pare-chocs. Les murs sont couverts de photos des plus célèbres joueurs des Colts, de Johnny Unitas à Peyton Manning. Sur la chaise de bureau du concierge, une couverture de stade aux couleurs des Colts occupe la place d'honneur.

Fouineur cesse un instant de sucer le col du chandail de Ben imprégné de Gatorade pour admirer l'étalage de couleurs vives.

— Waouh! fait Ben. On sait maintenant pourquoi M. Clancy porte toujours un bandeau bleu et blanc.

— Je me demande comment ça se fait qu'il soit un si grand partisan des Colts, avance Logan, perplexe. J'ai entendu dire qu'il vient du Maryland, pas d'Indianapolis.

— Les Colts jouaient à Baltimore avant de déménager à Indianapolis, explique Pic.

À ces mots, elle écarquille les yeux et s'écrie :

— Une minute! 1969... Super Bowl III! Les Jets de New York battent les Colts de Baltimore! Le plus grand revers de toute l'histoire! Les partisans des Colts n'en sont toujours pas revenus!

— Et alors? demande Ben.

Il pense soudain comprendre son raisonnement :

— Attends un peu! Es-tu en train de dire que M. Clancy est tellement fâché à cause de cette partie de football qu'il a volé la bague, simplement pour ne plus avoir à la *regarder*? Ça s'est passé il y a plus de 40 ans!

— Il a pourtant *dit* que cette journée avait été la pire de sa vie, leur rappelle Logan.

— M. Tyran a dit qu'il était le seul à avoir la clé de la vitrine, ajoute Melissa, mais c'est probablement faux. Les concierges en ont sûrement un double quelque part.

Ben n'est pas convaincu.

— Je ne sais pas… Vous ne trouvez pas que c'est un peu tiré par les cheveux?

— Peut-être, lui concède Pic, mais au point où on en est, c'est encore ce qu'on a de mieux.

20

Le centre du commandement est redevenu un simple grenier. Ça a été du travail. Melissa a remballé ses trois ordinateurs portables et tout leur câblage. Ils ont plié et rangé la table à cartes et le trépied. Ils ont jeté le téléobjectif à la poubelle et ramassé les débris de verre. Ils ont aussi rempli de gros sacs de poubelles avec les nombreuses boîtes de pizza, les contenants de restauration rapide et les bouteilles de jus qui les ont soutenus durant les longues heures d'attente de l'opération Surveillance.

Maintenant, il ne reste plus qu'à effacer le désordre causé par la bagarre de Logan et de Ben. Quelle histoire bizarre! Aucun d'eux ne veut discuter de la raison qui a mis le feu aux poudres, mais ils restent fâchés l'un contre l'autre. Ben refuse d'adresser la parole à Logan et Logan a juré de ne pas inviter Ben à la fête des oscars qu'il organisera quand il sera célèbre.

Savannah s'agenouille près d'un panier à pique-nique renversé et commence à y ranger les assiettes et les verres en plastique qui jonchent le sol. Peu après, Cléopâtre accourt pour lui donner un coup de main.

— Merci, Cléo. Tu es la meilleure.

Luthor pousse un gémissement offensé, tout en gigotant sur un tas de tapis roulés.

— Ne sois pas aussi susceptible, Luthor. Je t'avais dit de ne pas manger les pois. Ce n'est pas notre faute si tu as mal à l'estomac maintenant.

Le petit singe dépose le dernier anneau de serviette dans le panier. Savannah rabat le couvercle, ferme le loquet, puis le soulève et le place sur une haute tablette.

Et elle pousse un cri.

Là, dans l'espace qui était caché par le panier à pique-nique, se trouve une collection de petits objets : une pièce de monnaie en argent des Olympiques, un bouton de manchette, une clochette tombée d'une couronne de Noël, le bouchon doré d'un stylo, une boucle d'oreille en strass, un tesson de cristal et une paillette noire et brillante ayant orné un vieux déguisement d'Halloween. C'est la collection d'objets disparates la plus étrange qu'elle a jamais vue. Car enfin, la seule chose que ces objets ont en commun, c'est...

Quand soudain elle comprend le sens de tout ça, Savannah, l'experte des animaux, se laisse tomber par terre, bouche bée.

Mme Bing va ouvrir à la personne qui cogne frénétiquement à sa porte.

— Savannah, je suis contente de te voir, ma chérie, mais tu ne devrais peut-être pas être ici. Je sais que ta mère a dit...

— Je dois parler à Griffin *tout de suite!* lâche Savannah précipitamment.

Mme Bing est méfiante.

— Il s'agit seulement d'une petite discussion amicale, n'est-ce pas? On a tous eu assez d'ennuis comme ça.

— C'est promis, jure Savannah. Je ne ferais rien qui puisse nuire à Griffin.

Mme Bing la laisse entrer. Savannah gravit aussitôt les marches quatre à quatre. Griffin va sauter de joie en entendant ce qu'elle a à lui dire. Elle a la preuve de son innocence!

Elle cogne à sa porte.

— Griffin! C'est moi, Savannah!

Quand elle ouvre la porte, elle voit l'Homme au Plan assis sur le bord de son lit, fixant le mur d'un air absent. On dirait qu'il a passé les dix dernières heures dans cette position.

Savannah s'empresse de lâcher la bombe :

— Griffin, je sais où est la bague!

Une décharge électrique de quatre mille volts n'aurait pas été plus efficace pour le faire bondir sur ses pieds.

— Où *ça?*

— Eh bien, je ne sais pas exactement où, mais je sais ce qui lui est arrivé. Tu te souviens du rat qu'on avait à la maison? Eh bien, en réalité, c'était un rat à queue touffue! Un *rat à queue touffue*, Griffin! C'est incroyable, non?

Entre « Je sais où est la bague! » et « C'était un rat à queue touffue! », le visage de Griffin a changé du tout au tout.

— Je ne comprends pas.

— Écoute : on appelle aussi les rats à queue touffue des « rats porteurs », car ils sont attirés par les objets brillants… comme un appareil orthodontique ou une bague du Super Bowl!

Griffin fronce les sourcils.

— Comment un rat porteur vivant dans ta maison peut-il voler une bague qui se trouve à l'école?

— Je ne l'explique pas de la bonne façon! s'impatiente Savannah en s'agrippant les cheveux. Bon… les rats porteurs ne font pas que collectionner les objets brillants. Quand ils trouvent un nouvel objet, ils se débarrassent de l'ancien. Alors, supposons que tu aies perdu ton appareil dentaire chez moi. C'est ce qu'on pensait, tu te souviens? Le rat porteur a été attiré par le métal. Il a pris l'appareil et l'a apporté dans le grenier. J'ai trouvé sa cachette en rangeant le centre du commandement : tout un ramassis de babioles clinquantes.

Griffin affiche une mine perplexe.

— Oui, mais… mon appareil dentaire s'est retrouvé dans la vitrine à l'école.

— Voici ce que je pense : par un moyen quelconque, le rat porteur s'est faufilé dans mon sac à dos ou s'est caché dans mon projet de science, ou quelque chose comme ça. Voilà comment il est sorti de chez nous. Il s'est donc retrouvé à l'école avec l'appareil orthodontique. Et là, que voit-il? Une grosse bague dorée ornée de diamants!

Griffin est sceptique, mais néanmoins intéressé.

— Comment s'est-il faufilé à l'intérieur d'une vitrine verrouillée?

— Il est petit, explique-t-elle, et ses os sont mous. Les rongeurs peuvent s'introduire dans un trou d'un centimètre et demi. Dans la vitrine, l'espace entre les deux plaques de verre coulissantes fait au moins le double de ça. Ce serait très facile pour lui d'y introduire l'appareil orthodontique et d'en faire sortir la bague.

Elle le fixe et ajoute :

— Tu ne comprends pas? La bague est dans sa cachette secrète, quelque part dans l'école!

Elle s'était attendue à ce qu'il soit excité, surexcité même, et à ce qu'il bondisse de joie. Au lieu de cela, Griffin est allongé sur son lit, l'air encore plus lugubre qu'avant. La jambe de son pantalon est légèrement relevée. Savannah entrevoit le bidule électronique qui enserre sa cheville. Le voyant lumineux vert est fixe. Elle déglutit et détourne le regard.

— Eh bien, j'imagine que tout est possible, finit-il par dire.

— Possible? répète Savannah, déconcertée. Qu'est-ce que tu veux dire? C'est gagné d'avance! Tu n'as même pas besoin de retrouver la bague. Il suffit d'expliquer ce qui s'est passé.

— Tu veux rire? C'est une excuse aussi ridicule que « le chien a mangé mon devoir ».

— Les chiens ne mangent pas les devoirs, proteste-t-elle, mais tout le monde sait qu'un rat porteur...

— Non, pas tout le monde, l'interrompt Griffin en secouant tristement la tête. Juste toi. Tu connais tellement de choses sur les animaux que ça te paraît plus qu'évident. Mais pour n'importe qui d'autre, ça aura l'air d'une excuse pour essayer de m'innocenter... et d'une excuse sacrément farfelue, en plus. C'est presque comme si j'accusais le rat porteur d'avoir planifié tout ça pour me piéger.

— Un rat porteur est incapable de planifier quoi que ce soit ou d'avoir de mauvaises intentions, conteste-t-elle. Tu diras simplement qu'il a fait ce que font tous les rats porteurs : il a volé un objet et en a laissé un autre à la place!

— Si je raconte une histoire pareille à la juge

Koretsky, c'est autour de mon cou qu'elle mettra mon prochain bracelet de surveillance!

Savannah est inébranlable.

— Ce n'est pas une histoire. C'est ce qui est arrivé. Je le sais, je le sens au plus profond de mon être.

Griffin soupire.

— Pic aussi a un nouveau suspect. Elle pense que c'est peut-être M. Clancy parce qu'il est furieux contre les Jets depuis la défaite de 1969…

— Ce n'est pas lui. Je te l'ai déjà dit…

— … et j'imagine qu'il y a encore les autres : Vader, Tony…

Il continue comme si elle n'avait pas parlé.

— *Grif-fin!*

Elle a beau le supplier, le harceler et le menacer, le garçon n'accepte pas que sa théorie du rat porteur soit la bonne. À ses yeux, c'est une explication parmi tant d'autres, et il ne cherche même pas à cacher le fait qu'il la considère comme la plus étrange de toutes.

Quand Savannah quitte la maison des Bing, elle traîne les pieds sur la chaussée. Elle se sent encore plus déprimée que Griffin. Elle a déjà vu son ami découragé, nerveux, déçu, intimidé, terrifié et même au bord du désespoir, mais jamais, pas une seule fois, elle n'a vu l'Homme au Plan baisser les bras.

21

Le voyant lumineux vert du bracelet de surveillance se met à clignoter dès que Griffin pose le pied en bas du trottoir. Il tire sur son jean et l'observe avec une fascination presque malsaine. Il ne veut pas le voir, mais il n'arrive pas à regarder ailleurs, même s'il essaie en comptant un Mississippi, deux Mississippi... Comme de fait, après dix Mississippi, le clignotant vert tourne au rouge fixe.

— Cache ça! siffle sa mère.

— J'ai encore le droit d'aller à l'école.

— On n'a pas besoin d'informer tout le voisinage de ce désastre, le supplie sa mère.

Griffin hoche la tête et dit d'un ton amer :

— Ouais, c'est vrai, Celia White s'en charge déjà.

Sa chronique dans le *Herald* de lundi sous-entend que les célèbres « bandits ados » de Cedarville ont essayé d'attirer M. Tyran à l'intérieur de la bijouterie Konrad pour lui voler la broche. Cette femme est sûrement la pire journaliste au monde. Où est-elle allée chercher ses renseignements? Même M. Egan ne sortirait pas un mensonge aussi grossier.

— Écoute, maman, je vais bien. Enfin, peut-être

pas bien, mais le voyant lumineux du bracelet est rouge et l'escouade spéciale n'est pas encore venue m'arrêter. Tu n'as pas besoin de me tenir la main jusqu'à l'arrêt d'autobus.

— Je suis désolée, Griffin. Je ne peux pas m'empêcher de m'en vouloir pour tout ce qui t'arrive.

Griffin est horrifié.

—Mais tu n'as rien fait!

— Justement, c'est peut-être ça le problème, dit-elle en reniflant. C'est le devoir d'une mère de voir à ce qu'il n'arrive rien à son enfant. Mais voilà, tu as douze ans et je ne peux plus te protéger comme quand tu en avais trois.

Griffin n'aurait jamais pensé qu'un jour il rêverait de redevenir un petit garçon et pourtant, l'idée d'avoir trois ans lui semble soudainement très attirante. Trois ans, c'est trop jeune pour être envoyé à Taule pour Enfants et c'est aussi trop jeune pour être convoqué devant un juge. Oui, c'était le bon vieux temps.

Arrivé à l'école, Griffin obéit aux instructions du sergent Vizzini et va directement au secrétariat. Même les secrétaires aux allures de grand-mères ont l'air plus sévères à TE, avec leur regard impitoyable et leurs lèvres pincées dans une moue de désapprobation.

— Je m'appelle Griffin Bing. Je suis censé vous demander d'avertir la police de mon arrivée.

Même dans ce lieu terrible où pratiquement tout le

monde a de gros ennuis, il réussit à se distinguer en étant pire que les autres. Comment en est-il arrivé là?

Il passe la matinée en solitaire. Sheldon Brickhaus est plus distant ces derniers temps. Griffin devrait en être soulagé, heureux même, mais ce n'est pas tout à fait le cas. D'accord, Shank est dérangé, mais au moins, il lui tient compagnie. Et Griffin commence à comprendre que de la compagnie, même déplaisante et dangereuse, c'est mieux que pas de compagnie du tout... surtout dans un endroit où les heures sont aussi longues que des mois.

À l'heure du dîner, l'effort de rester éveillé l'a déjà complètement épuisé, aussi bien physiquement qu'émotionnellement. Tandis qu'il traverse la cafétéria, il remarque que son lacet est détaché. Il doit l'être depuis ce matin, mais Griffin n'a l'a pas vu et s'en fiche bien.

Il dépose son plateau, met son pied sur le banc et attrape ses lacets. Il est en train de nouer la boucle quand il entend le bourdonnement dans la cafétéria.

Tous les yeux sont rivés sur lui... non pas sur son visage, mais sur sa cheville. La jambe relevée de son pantalon laisse paraître le bracelet et son voyant lumineux rouge fixe.

Il mange son repas complètement abattu. Pourquoi a-t-il été aussi stupide? Pourquoi a-t-il montré le bracelet à toute l'école? Surtout dans un endroit comme ici, où chacun sait très bien ce qu'est ce truc et ce qu'il signifie. Comment peut-on toucher le fond et continuer à couler à pic malgré tout?

Quand l'heure du dîner tire à sa fin, plusieurs élèves de la crème de la clientèle de TE, les vrais durs de durs, se font un point d'honneur de passer près de sa table en sortant de la cafétéria. Personne ne parle, mais leurs signes de tête respectueux sont éloquents.

Ils me reconnaissent comme l'un des leurs... ils m'acceptent!

Une seule chose est pire que fréquenter Taule pour Enfants : s'y sentir chez soi!

Shank est le dernier.

— T'es un sacré phénomène, Justice. T'es méchant, t'es gentil; t'es coupable, t'es innocent. Et maintenant ça. Qu'est-ce que je suis supposé penser de ce petit bijou que tu portes à la cheville?

— Ça te dérange? marmonne Griffin, les lèvres serrées.

Le petit costaud plisse les yeux.

— Tu sais ce que je pense? T'es un espion! TE t'a mis ici pour dénoncer les élèves qu'ils n'arrivent pas à contrôler... comme moi, par exemple.

Griffin ressent une peur soudaine. Il ose à peine imaginer ce qui pourrait lui arriver si une rumeur pareille se répandait dans l'école.

— Je ne suis pas un espion! réplique-t-il vivement.

— Alors explique pour les sans-desseins! lance Shank en pressant la semelle de sa botte de construction contre le bracelet de surveillance. Qu'est-ce qu'un bon garçon comme toi a fait pour mériter un truc pareil?

Griffin avait décidé de ne révéler absolument rien à ses compagnons de TE. À ses yeux, dévoiler la moindre parcelle de sa vie rendrait le cauchemar bien réel. Mais voilà qu'il se met à raconter toute l'histoire à Shank et, dès qu'il ouvre les vannes, c'est un véritable tsunami. Il déballe tout : comment la découverte de son appareil orthodontique dans la vitrine a convaincu tout le monde qu'il était le voleur de la bague du Super Bowl; comment les opérations Justice et Surveillance, conçues au départ pour prouver son innocence, n'ont servi qu'à le faire paraître encore plus coupable; et comment aucun des autres suspects, humains ou rongeurs, ne semble se compromettre.

Pendant que Shank écoute le récit des malheurs de Griffin, un sourire en coin se dessine sur sa face en bloc de ciment. Plus le ton du narrateur devient triste, désespéré et tragique, plus le sourire de Sheldon Brickhaus s'étire. À la fin, il rayonne littéralement.

Griffin est tellement vexé de le voir sourire qu'il ne s'inquiète même pas de ce que le petit costaud pourrait lui faire.

— Tu es cinglé, tu le sais ça? C'est la première

fois que je te vois sourire depuis que je te connais, et c'est parce que la vie d'une autre personne est complètement gâchée! Merci beaucoup!

— Je ne souris pas parce que t'as des ennuis, ricane Shank. Je souris parce que t'es *chanceux!*

— Chanceux? répète Griffin, bouillant de colère. Je vais être jugé pour quelque chose que je n'ai même pas fait! Et c'est sûr que je vais être jugé coupable, parce que personne ne va croire ce qui est arrivé. La seule chose qui pourrait me sauver, c'est la bague!

Shank attrape Griffin par les épaules et le secoue comme un prunier.

— T'es tellement nul, Justice… c'est ça qui me plaît chez toi! Tu ne vois pas plus loin que le bout de ton nez! *Réfléchis!* Un rat porteur, tu ne sais pas ce que c'est? C'est un *animal nuisible!*

Griffin le dévisage, incrédule.

— Tu crois à *cette idée de fou?* Tu crois qu'un rat porteur a trouvé mon appareil dentaire, qu'il a été transporté jusqu'à l'école avec, et qu'une fois sur place, il l'a échangé contre la bague?

— Les nuisibles, ça nous connaît dans la famille, mon vieux! Ce que tu me décris, c'est exactement le comportement typique du rat porteur.

Griffin est abasourdi. Parmi toutes les façons d'expliquer ce qui est arrivé à la bague, les quatre suspects du départ et le concierge qui déteste les Jets, la théorie du rat porteur avancée par Savannah est de loin la plus folle. Mais voilà que Shank trouve lui aussi que c'est l'évidence même.

Le petit costaud est rose de plaisir.

— Jour après jour, mon père court après des rats porteurs et des bestioles bien pires encore… et moi, je l'observe depuis quatorze ans! Je pourrais attraper un rat porteur en marchant sur les mains!

— Mais…

Griffin n'a pas réfléchi à la théorie de Savannah parce qu'il n'a pas imaginé une seule seconde que l'histoire puisse être vraie. Maintenant, son cerveau se remet en route et examine le problème sous tous ses angles.

— Mais même si tu attrapes le rat porteur, tu n'auras pas la bague, dit-il. Elle peut être n'importe où.

Shank balaie le problème du revers de sa main grosse comme un jambon.

— Une fois que je l'ai, répond-il, je peux l'obliger à remonter jusqu'à son nid, là où est la bague. C'est *faisable*, Justice.

Griffin regarde son bourreau avec méfiance. Le visage de Shank n'affiche aucun signe de malice ou de ruse. Pour une raison qui échappe à Griffin, la petite brute semble sincèrement vouloir l'aider. Une question lui brûle les lèvres :

— Pourquoi ferais-tu ça pour moi? Qu'est-ce que

ça peut te faire, à toi, que je sois innocenté?

Shank hoche lentement la tête, comme s'il n'était pas sûr lui-même de la réponse.

— Nous, les Brickhaus, on n'est pas exactement une famille qui s'illustre. On n'*excelle* pas trop, comme disent les profs. En fait, on est pas mal nuls dans tout. Mais *ça*, c'est notre spécialité. Pour Bill Gates, c'est l'informatique. Pour nous, c'est les nuisibles. Quelles sont les chances que la compétence dont t'as besoin soit exactement celle que je possède? Une chance sur un million? C'est le destin, Justice. Ça devait arriver.

Pour la première fois, Griffin remarque quelque chose de familier dans l'expression qui anime la face en ciment de Shank. C'est quelque chose qu'il ne voit habituellement que dans un miroir : l'excitation fébrile qu'on ressent quand un plan prend forme dans votre esprit.

Griffin et Shank se ressemblent sur un point.

La terreur de Taule pour Enfants est un *planificateur!*

22

Ben traîne les pieds tout le long du chemin qui le ramène à la maison. Sans Griffin à ses côtés, le trajet de l'école est déprimant et terriblement escarpé. Fouineur est peut-être le champion de la morsure qui le tient éveillé, mais il ne peut pas remplacer son meilleur ami. En science, Darren Vader est le nouveau partenaire de laboratoire de Ben. Comme si la vie sans Griffin n'était pas déjà assez difficile, il faut en plus qu'il soit jumelé à l'un des suspects ayant peut-être causé le départ de Griffin... si ce n'est pas Tony ou Celia White ou M. Tyran ou encore M. Clancy.

Songer à la liste des suspects suffit à lui donner la migraine.

— Je ne peux pas courir le risque de recevoir des gouttelettes d'acide sur les mains durant la saison de football, lui a annoncé Darren aujourd'hui.

Ben doit donc se taper tout le travail, tandis que son coéquipier étudie le recueil des jeux des Seahawks. Ben n'arrive pas à affronter Vader comme Griffin le ferait. C'est d'ailleurs la 147ᵉ raison pour laquelle il faut que Griffin revienne au plus vite... tout juste entre *Il le reconnaît toujours quand il triche au Monopoly* et *Le centre de détention juvénile n'est pas un endroit approprié pour le meilleur ami de toute l'histoire de l'humanité.*

Ben aperçoit sa maison au loin, mais il n'a pas hâte d'y être, même après une longue journée d'école. Ce qui faisait tout le charme de sa porte d'entrée, c'était que tôt ou tard, Griffin venait y frapper.

À présent, Ben n'est même plus sûr de voir cela se reproduire un jour.

Un garçon chaussé de gigantesques bottes de construction est assis sur le perron, occupé à démolir une fourmilière à grands coups de talons. Ben est surpris de ne pas l'avoir remarqué plus tôt. Il n'est pas beaucoup plus grand que lui, mais est bâti comme un char d'assaut : son corps trapu et musclé est surmonté d'une tête carrée aux cheveux taillés en brosse.

En apercevant Ben, il se lève. Il est aussi large que haut.

— T'es Slovak, pas vrai? Je reconnais la belette sous ton chandail

— C'est un furet, corrige Ben nerveusement.

Il se demande : *Qui est ce gros costaud? Et qu'est-ce qu'il me veut?*

Le nouveau venu attrape sa main et l'écrase.

— Sheldon Brickhaus. On a un ami commun.

Les pièces du puzzle se mettent en place : c'est Shank de TE! Se faire écrabouiller les doigts est un bien petit prix à payer pour avoir des nouvelles de Griffin.

— Est-ce que Griffin va bien?

Shank lui lâche la main et écrase quelques fourmis en fuite.

— Il m'a chargé de te communiquer les derniers détails du plan.

Le plan! Jamais ces mots n'ont été aussi doux aux oreilles de Ben. Griffin aurait-il trouvé un moyen de se sortir de l'impasse?

— Il y a un plan? parvient-il à murmurer.

En guise de réponse, il reçoit une grande tape dans le dos qui l'envoie pratiquement au sol.

— Bienvenue dans l'opération Rat porteur.

RÉUNION DE REMUE-MÉNINGES · CHEZ LES DUKAKIS · 20 h 45

Présents : SLOVAK, Ben; BENSON, Pic; KELLERMAN, Logan; DRYSDALE, Savannah; DUKAKIS, Melissa; BRICKHAUS, Sheldon; SLOVAK, Fouineur; Luthor.

Présent par vidéoconférence : BING, Griffin

Shank reste parfaitement calme quand Luthor s'approche de lui en montrant les dents.

— Gentil toutou, commente-t-il avec douceur.

— Pourquoi es-tu venue avec Luthor? demande Ben à Savannah.

Ben sait que le doberman fait partie des meubles chez les Drysdale, mais il ne s'attendait pas à le trouver chez Melissa.

— C'est le seul moyen que j'ai pour sortir de la maison, explique Savannah. Mes parents sont toujours sur mon dos, sauf quand je m'occupe des animaux.

Toute la bande s'assoit en cercle sur le plancher de la petite chambre. Melissa, leur hôtesse, débute la réunion d'un clic de souris. Le visage de Griffin apparaît sur l'écran de son ordinateur portable.

— D'abord, je vous remercie d'être là, leur dit-il en guise de bienvenue. Mes amis, je vous présente Shank. Shank, voici l'équipe. Bon, on sait tous que le rat porteur de Savannah est probablement à l'école et qu'il a caché la bague du Super Bowl quelque part. Le but de l'opération Rat porteur est de l'attraper et de l'obliger à nous conduire à sa cachette.

— Et on fait ça *comment?* demande Pic, incrédule.

— Facile, répond Shank, sûr de lui. Chez nous, les Brickhaus, c'est un peu comme une tradition familiale.

Il prend une croustille dans un gros bol posé devant lui et en lance une autre à Luthor, qui l'attrape au vol.

— Shank est notre spécialiste des animaux nuisibles, précise Griffin. Il va diriger l'opération avec moi.

— Avec toi? répète Savannah. Tu es assigné à résidence. Comment peux-tu aller chasser le rat à l'école?

C'est Melissa qui répond.

— Le concentrateur du bracelet de Griffin transmet un signal unique à un système de surveillance, au poste de police. Si je réussis à m'introduire dans le système et à cloner le signal, je piraterai un transmetteur de poche pour qu'il l'envoie à la place du bracelet.

— Ce qui laissera croire aux policiers que je suis sagement à la maison, comme un bon petit garçon, conclut Griffin.

Melissa hoche la tête.

— Tant que le transmetteur de poche reste à proximité du bracelet... ce qui sera le cas, puisque tu le garderas sur toi.

— Et nous? demande Savannah.

— L'école n'est jamais vide, répond Griffin. Les enseignants et le personnel administratif viennent parfois travailler à des heures bizarres. Il ne faut pas qu'ils tombent sur nous pendant qu'on cherche la bague. Et n'oubliez pas M. Clancy. Souvenez-vous, il y a peut-être plus d'un rat dans cette histoire. Ce n'est pas parce qu'on court après un rongeur qu'il faut éliminer les autres suspects. On doit être très prudents.

— Qu'est-ce que tu veux qu'on fasse? demande Pic. Qu'on crée une diversion?

Shank secoue la tête, l'air sérieux.

— Non, on a besoin de plus de temps que ça. D'abord, on doit attraper le rat porteur. Puis, on doit le suivre jusqu'à la bague.

— Aucune diversion ne peut durer aussi longtemps, acquiesce Ben, la mine sombre.

— Sauf une, intervient Logan. *Ave César.*

— La pièce de théâtre de l'école? dit Griffin en fronçant les sourcils.

— C'est la première mercredi, répond Logan, enthousiaste.

— Mais l'école va être pleine de monde! proteste Ben.

— Pleine de gens qui assistent à la pièce, le corrige Logan.

— Pas quand ils vont aux toilettes.

Logan prend un air hautain et déclare :

— J'ai créé un Jules César tellement fascinant, tellement multidimensionnel, que personne n'aura envie d'aller aux toilettes. Pour voir mon César, ils se retiendront.

Shank regarde Logan d'un air bizarre.

— Il est toujours comme ça, votre copain?

Pic approuve d'un signe de tête.

— Il sait faire un dérapage en trottinette qui pourrait lui valoir un Golden Globe.

— C'est parfait, tranche Griffin. La pièce de théâtre de Logan sera notre couverture. Melissa, tu t'occupes de l'électronique, Shank est responsable des nuisibles et Savannah est notre experte en comportement des rongeurs. Pic grimpe et Ben s'occupe des espaces réduits. On a un plan!

Ils se regardent à tour de rôle. Dès mercredi, toutes les assignations à résidence et les punitions seront finies. Tous les membres de l'équipe sont prêts et décidés. Les têtes signifient leur accord d'un hochement et on entend des grognements du genre « Je suis partant » et « Oui, on le fait. »

Shank est impressionné.

— Eh ben mon vieux, moi qui pensais atterrir dans un congrès de nuls! Vous me plaisez, vous autres!

Un murmure gêné circule parmi le groupe, entrecoupé par le bruit de la langue de Luthor qui a décidé de vider le bol de chips.

Aucun d'eux n'a envie de plaire à Shank.

23

OPÉRATION RAT PORTEUR - LISTE DU MATÉRIEL

9 (neuf) pièges pour animaux - Shank

1 (un) harnais à rongeur - Savannah

1 (une) corde d'escalade - Pic

3 (trois) émetteurs-récepteurs portatifs - Griffin

1 (une) canne à pêche...

Griffin dépose le cahier et essaie de chasser son mal de tête en clignant des yeux. L'opération Rat porteur n'a même pas encore commencé et il est déjà anxieux. Il y a tellement de petits détails à régler avant l'heure H de mercredi. Ses parents, par exemple. Ils ne le laisseront jamais sortir alors qu'il est assigné à résidence. Et pas question de sortir en douce, non plus... pas pour plusieurs heures. S'il leur prenait l'idée d'aller le voir dans sa chambre et qu'ils la trouvaient déserte?

Non, il faut plutôt éloigner ses parents de la maison. Mais où et pour quelle raison?

Un seul détail peut faire rater toute l'opération. Griffin le sait d'expérience. Il l'a appris à la dure.

La réunion de planification a lieu sur la table de ping-pong, dans le sous-sol de chez Griffin. Armée d'un tournevis, Melissa examine l'intérieur du concentrateur de surveillance électronique, lequel est vissé au plancher. Voilà une autre raison qui explique sa nervosité : un faux mouvement suffira à alerter la police.

Calme-toi, se dit-il pour se rassurer. *Melissa sait ce qu'elle fait…*

Elle s'adresse à lui d'une voix si douce qu'il passe près de ne pas l'entendre.

— C'est prêt, annonce-t-elle.

— Vraiment? Hé, super! Euh… Tu es sûre? Enfin, je veux dire… c'est *quoi* qui est prêt, au juste?

Elle lui tend un vieux téléphone cellulaire. Le dos de l'appareil a été retiré et les fils sont apparents.

— Le combiné génère un signal numérique identique à celui du concentrateur ici, sur le plancher, explique-t-elle. Si on éteint le concentrateur et qu'on allume le combiné, il va transmettre le signal directement à la police. Bien sûr, on doit d'abord le tester.

— Bien sûr.

Griffin prend l'appareil, le tenant comme s'il était

bourré de nitroglycérine. Il a confiance en Melissa, mais il redoute l'idée d'un nouveau tête à tête avec le sergent-détective Vizzini.

Melissa lit dans ses pensées.

— Si ça ne fonctionne pas, mieux vaut le savoir maintenant que mercredi soir, raisonne-t-elle. Si jamais la police reçoit un signal d'alerte, tu es à la maison. Ils s'imagineront qu'il y a une petite défaillance dans le système.

Griffin respire à fond.

— OK, à trois. Un… deux…

Il allume le cellulaire transformé en même temps que Melissa éteint le concentrateur.

Le voyant lumineux du concentrateur s'éteint. Griffin a la gorge nouée. Cependant…

Il lève le bas de son pantalon pour vérifier le voyant lumineux de son bracelet. Vert, et il ne clignote pas.

Ils attendent. Trois minutes passent. Puis cinq. Aucune sirène au loin. Personne ne cogne avec insistance à la porte d'entrée.

— Ça marche? demande-t-il.

— Je crois, lui dit-elle. Ici, du moins. Maintenant, on doit le tester au-delà du rayon du concentrateur.

Exact. On s'en fiche que le dispositif fonctionne dans la maison, là où Griffin a le droit de circuler de toute façon. Le vrai test, c'est de dépasser la limite permise de 60 mètres.

Ils montent au rez-de-chaussée. La mère de Griffin est sortie et son père est dans l'atelier, occupé à expérimenter différents plateaux à appâts pour le Zéro-Mulot. Ils ont le champ libre pour le moment... du moins, tant qu'une voiture de patrouille de police ne passe pas dans le coin.

— Allons-y.

Griffin ne comprend pas pourquoi il est si effrayé de marcher sur son propre terrain. Il le fait chaque matin, en se rendant à son arrêt d'autobus pour TE. Le bracelet ne se mettra pas à clignoter avant qu'il ait atteint la rue.

Il serre si fort le cellulaire trafiqué que ses jointures sont blanches. Si Melissa a vu juste, l'appareil va faire croire au système de surveillance électronique qu'il est toujours dans la maison.

Il met un pied dans la rue. Vérification du bracelet : pas de clignotement.

Il fait deux autres pas jusqu'au milieu de la rue : rien. Il traverse la rue et court jusqu'au terrain d'en face. Le bracelet est maintenant à 30 mètres au-delà de la limite permise et le voyant lumineux est toujours au vert fixe.

Ça marche! Ça marche pour de vrai!

Maintenant que le cellulaire joue le rôle du concentrateur, tout ce que Griffin a à faire, c'est s'y accrocher. Il peut se trouver à des kilomètres de chez lui en toute sécurité, tant que l'appareil reste près du bracelet qu'il a à la cheville… ce qui est bien en deçà des 60 mètres permis.

— Melissa, dit-il à voix basse, malgré le sentiment de triomphe qui l'envahit, tu es un génie.

Les yeux de la jeune fille sont cachés derrière son rideau de cheveux, mais ses lèvres trahissent un rare sourire.

Un fort bruit métallique rompt tout à coup la tranquillité du quartier. Griffin voit avec horreur la porte du garage de sa maison commencer à s'ouvrir. Déjà, il aperçoit les souliers… le pantalon… la chemise… Une seconde de plus et son père aura une vue parfaite sur son fils assigné à résidence!

Griffin traverse la rue à la vitesse de l'éclair et remonte l'allée devant sa maison, tentant désespérément de battre de vitesse la porte du garage. Il se réfugie à l'intérieur au moment même où le mécanisme s'arrête et où son père sort du garage.

— Oh, bonjour Melissa! dit-il en remarquant la timide jeune fille. Je ne savais pas que tu venais à la maison.

— En fait, je partais à l'instant, lui répond-elle en s'éloignant.

Son boulot ici est terminé.

24

À 14 h mercredi après-midi, soit cinq minutes avant l'heure H, M. Bing est assis à l'ordinateur et consulte des blogues tenus par des agriculteurs. Pour des gens censés travailler de l'aube jusqu'au coucher du soleil, les agriculteurs semblent former une communauté virtuelle active et ils sont toujours prêts à partager leur expertise. Malgré cela, personne ne semble savoir quel est le meilleur appât à utiliser pour piéger le mulot des vergers.

La frustration de M. Bing a augmenté au cours des dernières semaines. Le Ramasseur futé et le Rolo-Cageot sont tous deux parfaitement opérationnels. Si seulement il réussissait à perfectionner le Zéro-Mulot, cela compléterait son curriculum vitæ d'inventeur et ferait de lui un membre incontournable du monde des vergers.

Il lâche un rire sans joie. De toute évidence, les mulots en ont décidé autrement.

Une sonnerie l'avertit de l'arrivée d'un nouveau courriel. Il fait apparaître sa boîte de réception. Le message vient de Dalton Davis de Davis, Davis et Yamamoto, le cabinet d'avocats que la famille a embauché pour représenter Griffin.

Monsieur et madame Bing,
    J'aimerais vous rencontrer le plus tôt possible au sujet d'un sursis dans l'affaire concernant votre fils. Étant donné que je suis à la cour tout l'après-midi, vous serait-il possible de me rencontrer au restaurant Les Quatre Coins, ce soir, à 19 h 30? Veuillez m'excuser de vous avertir si tardivement, mais j'ai pensé que vous seriez heureux de ce développement.
    Dalton Davis

— Chérie! crie M. Bing à sa femme, tout excité. Viens voir ça!

Mme Bing accourt dans la pièce.

— Un sursis dans l'affaire! répète-t-elle. C'est encourageant!

Les Bing ne se font pas d'illusions au sujet de leur fils : Griffin est capable de bêtises spectaculaires, il l'a prouvé plus d'une fois. Mais le voir se faire accuser d'un crime qu'il n'a pas commis, c'est pour eux la pire des tortures. Ce sursis serait-il le premier rayon d'espoir à percer le gros nuage noir qui plane au-dessus de leur famille depuis des semaines?

M. Bing s'empresse d'envoyer une réponse courte : *Merci. Nous y serons.* Ils se sont déjà rencontrés par le passé à ce restaurant au bord de la route. Il est situé à mi-chemin entre Cedarville et les bureaux de Davis, Davis et Yamamoto, à New York.

Les époux se prennent les mains. L'ombre qui plane sur l'avenir de leur fils est quasiment intenable, mais peut-être y a-t-il enfin une lumière au bout du tunnel?

Mme Bing pose les yeux sur l'exemplaire plié du *Herald* qui se trouve à côté du tapis de souris. La chronique de Celia White est publiée à la une. Elle est intitulée :

**L'ÉCOLE SECONDAIRE DE CEDARVILLE VISITE
LA ROME ANTIQUE AVEC *AVE CÉSAR***

Sa mélancolie revient aussitôt.

— C'est la pièce de théâtre de l'école, dit-elle d'une voix triste. Pendant qu'on rencontre des avocats et qu'on se débat pour sauver la vie de Griffin, d'autres parents font enfiler des costumes à leurs enfants et vont applaudir leur performance.

Son mari hoche la tête d'un air malheureux.

— Le pire dans cette histoire, c'est de le voir prisonnier de la maison comme s'il était un criminel. C'était son école avant. Maintenant, il ne peut même pas acheter un billet et assister à la représentation.

Ce que M. et Mme Bing ignorent, c'est que Griffin sera justement à l'école ce soir. Pas pour assister à la pièce, mais pour mener l'opération Rat porteur. Quant au message qu'ils croient avoir reçu de leur avocat, il vient en réalité de l'ordinateur de Melissa Dukakis.

Bon, c'est vrai que d'autres noms apparaissent sur l'affiche accrochée dans l'entrée. Mme Arturo tenait absolument à ce que le nom de tous les membres de la distribution y soient inscrits, du dernier centurion au moindre peintre de décor.

Mais Logan n'a d'yeux que pour lui-même. Jules César. Après tant de spectacles insignifiants pour enfants et une publicité nulle de crème contre le pied d'athlète, il a enfin un rôle à sa mesure, un rôle assez consistant pour y déployer tout son talent. Aujourd'hui, c'est le premier jour du reste de sa vie d'acteur. Il doit *briller* sur scène. Absolument rien ne doit interférer avec sa concentration dramatique.

Du coin de l'œil, il remarque une petite tache sombre dotée d'une longue queue maigrelette, qui se déplace rapidement le long du mur.

Un rat! Un *rat porteur* peut-être? La théorie farfelue de Savannah serait-elle donc vraie?

184

Il traverse le foyer à la course et s'élance à la poursuite de la bestiole en fuite.

Au même moment, une grande femme pousse les lourdes portes en verre et entre en coup de vent dans l'école. Logan la heurte malgré lui et trébuche en arrière, tout étourdi.

— Mais enfin! s'exclame la dame, outrée.

— Désolé... s'excuse Logan, qui reconnaît soudainement cette femme aux airs d'oiseau.

Oh, non! Celia White!

— Tu es Logan, c'est bien ça? dit la journaliste en le dévisageant de ses yeux de faucon. Qu'est-ce qui s'est passé avec ton visage? On dirait que tu t'es battu au couteau!

— C'est... euh... du maquillage, bredouille-t-il. Vous savez, César a été général avant d'être empereur.

L'expression de Celia White s'adoucit.

— Je suis fière de toi, Logan. Je sais que tu as eu des ennuis par le passé. C'est merveilleux de te voir jouer dans la pièce à présent!

Interloqué, Logan se contente de la fixer.

— J'avais raison depuis le début, poursuit la journaliste. Dès qu'on a retiré cet horrible Griffin Bing de votre groupe, vous avez tous pu vivre tranquillement, à votre guise. Il suffit parfois de couper une mauvaise branche pour sauver l'arbre. J'espère seulement que tes autres amis ont trouvé des activités aussi positives pour canaliser leur énergie.

Elle prend sa main dans une de ses serres :

— Félicitations, mon garçon. Je serai dans la première rangée pour t'applaudir.

Puis, elle s'éloigne rapidement pour se réserver un bon siège.

Logan tremble encore quand elle disparaît au bout du corridor qui mène à l'amphithéâtre. La seule « activité positive » que ses amis ont trouvée, c'est lancer l'opération Rat porteur... qui devrait débuter d'une minute à l'autre. Et cette fois, la bande s'est offert les services du pire délinquant juvénile de Taule pour Enfants. Qu'est-ce que Celia White dirait de ça?

Logan jette un coup d'œil rapide dans l'entrée et ne voit aucune trace du rongeur. C'est aussi bien. Il ne doit pas se laisser distraire. Pas le soir de la première.

25

Ave César joue à guichets fermés. Dès 18 h 45, le stationnement de l'école secondaire de Cedarville est rempli à pleine capacité. On doit accommoder les voitures supplémentaires en leur permettant de se garer des deux côtés de la rue.

L'entrée de l'école est envahie par la foule. Les placeurs s'empressent de guider les nombreux spectateurs vers l'amphithéâtre, afin que la pièce commence à l'heure prévue.

Un petit groupe, cependant, reste à l'écart de l'agitation. Dans l'obscurité du terrain de football désert, Savannah, Pic, Melissa, Ben et Shank sont rassemblés autour d'un poteau de but et attendent l'arrivée de l'Homme au Plan.

Ben joue nerveusement avec le moulinet de la canne à pêche de son père.

— Ça ne lui ressemble pas d'être en retard. Et si le concentruc avait fait défaut? Griffin pourrait être en prison à l'heure qu'il est.

— Mais non, dit doucement Melissa. Il fonctionnait à merveille quand on l'a testé.

Shank soulève le sac de toile contenant les neuf

pièges à rongeur empruntés à son père.

— On attend encore cinq minutes. Après, on commence sans lui.

Personne ne parle. La seule chose pire qu'exécuter un plan sans Griffin, c'est faire quoi que ce soit avec Sheldon Brickhaus.

L'instant d'après, Griffin est parmi eux, encore essoufflé d'avoir couru.

— Désolé, les amis, halète-t-il. J'attendais que mes parents partent pour le faux rendez-vous.

Il se sent coupable en pensant à quel point ses parents étaient ravis de la bonne nouvelle. Ils étaient tellement certains que les ennuis de leur fils allaient bientôt prendre fin. Ils seront dévastés en voyant que Dalton Davis ne se montre pas au rendez-vous. Sa seule consolation, c'est de se dire qu'il ne leur a pas menti en leur promettant un « sursis dans l'affaire ». Si l'opération Rat porteur se déroule bien, il n'y aura tout simplement plus d'affaire à mettre en sursis.

Pic désigne le cellulaire modifié attaché solidement à la ceinture de Griffin.

— C'est *ça*? demande-t-elle en ajustant la corde d'escalade qu'elle porte en bandoulière.

Griffin hoche la tête.

— Je le garde sur moi, peu importe ce qui arrive. Il fait la même chose que le concentrateur dans mon sous-sol. S'il tombe et que je sors de son rayon, vous viendrez me visiter en prison.

Des applaudissements parviennent jusqu'à leurs oreilles, suivis de la majestueuse musique d'ouverture d'*Ave César*. Cela signifie que tout le monde est dans l'amphithéâtre et que la voie est libre.

La pièce commence... et l'opération Rat porteur aussi.

L'équipe pénètre dans l'école avec prudence. Le foyer et les corridors sont déserts, mais ils ne peuvent pas courir le risque de croiser un spectateur égaré, dont M. Clancy, M. Egan ou Celia White, qui couvre la pièce pour le compte du *Herald*. Darren Vader et Tony Bartholomew ont aussi été aperçus dans la file devant la billetterie. Tous les suspects sont donc sur place. Y compris, espère Griffin, un certain rat porteur très, très coupable.

Shank guide le groupe le long du corridor et s'arrête devant une petite alcôve aménagée entre deux toilettes. Il sort de son sac un piège en forme de cage de la taille d'une petite boîte à chaussures et le place dans le coin, sous une fontaine. Les barreaux de la cage sont pliés et tachés par les années. Son grillage percé par endroits a été rapiécé avec de la moustiquaire et des agrafes. Comparé au nouveau Zéro-Mulot super techno, l'objet a l'air de sortir tout droit des poubelles, mais Griffin ne voulait pas utiliser l'invention de son père. De toute façon, si les rats porteurs évitent le prototype avec autant de facilité que les mulots, il n'aurait pas été plus avancé.

Shank fouille dans sa poche et en sort une bouteille de parfum en verre munie d'un vaporisateur. Il en vaporise quatre bons jets dans la petite cage.

Aussitôt, une puissante odeur florale atrocement sucrée les enveloppe.

Ben manque d'échapper la canne à pêche.

— C'est quoi ça? Eau de cadavre?

— Ça s'appelle « Rendez-vous à Paris », répond Shank en souriant.

Pic tousse et dit :

— J'ai l'impression de boire un Shirley Temple dans une usine d'épuration.

— Ma mère s'en est aspergée un matin, raconte Shank, et quand mon père est arrivé au travail, les animaux lui couraient après. Il a découvert qu'aucun nuisible ne résiste à ce parfum.

Comme pour prouver les dires du garçon, un petit museau apparaît au bas du chandail de Ben en reniflant furieusement. Une seconde plus tard, Fouineur surgit au grand jour, fait le saut de l'ange et atterrit sur la cage.

Ben attrape son furet et le remet sous son chandail.

— N'y pense même pas, coco. Tu n'es pas un nuisible… enfin, la plupart du temps.

Savannah sort une petite boule de papier

aluminium de son sac à dos et la dépose à l'intérieur de la cage.

— Les rats porteurs adorent tout ce qui brille, explique-t-elle.

Shank approuve d'un signe de tête.

— Allons installer les autres pièges.

Tandis que toute la bande emboîte le pas à Shank, Griffin tapote le transmetteur attaché à sa ceinture et vérifie le voyant lumineux de son bracelet de surveillance. Vert.

Jusqu'ici, tout va bien.

M. et Mme Bing entrent dans le restaurant « Les Quatre Coins » et jettent un regard à la ronde. La salle à manger est bondée, mais pas de trace de Dalton Davis.

M. Bing devine le malaise de sa femme.

— Il est probablement coincé dans la circulation. C'est l'horreur pour sortir de New York à cette heure, conclut-il avant de s'adresser à la serveuse. Une table pour trois, s'il vous plaît. Nous attendons quelqu'un.

Ils s'assoient et la serveuse leur apporte du café.

— En plein ce qu'il me fallait, ironise Mme Bing avec un sourire forcé. Quelque chose pour me mettre les nerfs encore plus à vif.

Tous deux ont les yeux rivés sur la porte du restaurant.

Aucun ne touche à sa tasse de café.

Les colonnes majestueuses de la Rome Antique surplombent Logan Kellerman. Bon, d'accord, ce ne sont pas de *vraies* colonnes, seulement un paysage peint sur un immense carton et fixé à un cadre en bois.

Mais cela suffit amplement à un vrai acteur. En ce moment, il n'est plus un élève de première secondaire; il est Caius Julius Caesar, le plus grand général de Rome, et il s'adresse au Sénat. Vêtu d'une toge et chaussé de sandales, il fait porter sa voix jusqu'au dernier siège de la dernière rangée de l'amphithéâtre.

— La victoire de nos légions en Gaule a procuré gloire et richesse à la République… !

Tout en déclamant son texte, il promène son regard sur l'assistance, s'attardant brièvement sur Darren Vader, assis dans la deuxième rangée. Pour une raison quelconque, Darren tient un carton dans ses mains. Logan doit plisser les yeux pour lire le message qui y est inscrit : JOLIE ROBE.

L'insulte passe près de le faire trébucher sur le mot *maximus*, mais il réussit à se ressaisir. Il se concentre sur ses parents, très fiers, assis dans la première rangée à côté de Celia White. La chroniqueuse lui sourit, l'air ravi. Elle est peut-être folle furieuse, mais au moins, elle apprécie le théâtre de qualité.

Quelques rangées derrière elle, Tony ne tient pas en place. Il semble nerveux et se tortille sur sa chaise. Mijoterait-il quelque chose, par hasard?

Son regard se porte ensuite sur M. Egan, qui n'est pas assis mais debout à l'arrière de l'amphithéâtre. Régulièrement, il entrouvre la porte et jette un coup d'œil dans l'entrée. Logan se dit qu'il surveille sûrement les retardataires. Il espère que Griffin et le reste de la bande vont être prudents.

L'équipe a installé les neuf pièges : trois à l'étage, trois au rez-de-chaussée et trois au sous-sol. Commence alors la partie difficile du plan : observer et attendre. Ils se séparent en équipes de deux. Savannah et Melissa s'occupent de l'étage, tandis que Griffin et Shank restent au rez-de-chaussée. Quant à Pic et Ben, ils sont postés dans la salle des fournaises, au pied de l'escalier des concierges.

— Comment ça se fait qu'on hérite du donjon? se plaint Ben dans l'émetteur-récepteur. C'est lugubre, ici. Ça doit grouiller de rats.

— C'est justement ce qu'on veut, lui répond nerveusement Griffin. En tout cas, un rat... celui avec la bague.

— Rien à signaler, rapporte Pic. Ça sent le salon mortuaire, mais les pièges sont vides.

— Vous savez, intervient Melissa de sa voix douce,

quand on a eu des ennuis avec les écureuils chez moi, ça a pris quelques jours avant de les attraper.

— Ça, c'est parce que l'exterminateur ne connaissait pas « Rendez-vous à Paris », explique Shank à Griffin. Ce truc, c'est de l'or en barre. Fais-moi confiance. Ça ne sera pas long.

Le temps passe avec une lenteur insoutenable. Griffin entend beaucoup d'action du côté de l'amphithéâtre. Probablement une scène de combat. Il imagine Logan en Jules César, dans son armure en plastique, en train de se battre avec une épée jouet.

Shank trouve un moyen de passer le temps. Il arrache le transmetteur de la ceinture de Griffin, éloigne son bras au maximum et demande :

— Hé, penses-tu que je sois capable de lancer ce truc à plus de 60 mètres?

Griffin est pris de panique.

— Es-tu devenu fou? Si ce machin se brise, je suis fichu!

Shank fait une moue dédaigneuse.

— Je ne sais pas pourquoi je traîne avec toi, Justice, lâche-t-il en lui rendant l'appareil. Où est ton sens de l'humour? T'es aussi amusant que la varicelle.

Griffin s'apprête à lui répondre quand un autre bruit leur parvient, différent de ceux de la pièce de théâtre et plus près d'eux. Des pas.

— Silence radio! murmure-t-il fébrilement dans

l'émetteur-récepteur. Quelqu'un approche!

Shank agrippe Griffin par l'épaule, lui fait tourner le coin et l'entraîne dans les toilettes des garçons. Ils restent cachés là, osant à peine respirer, tandis que le frottement cadencé du cuir sur le plancher retentit de plus en plus fort. C'est alors qu'ils voient l'homme longer le corridor principal qui mène au secrétariat.

M. Clancy.

Un chandail des Colts assorti à son bandeau a remplacé sa chemise de travail habituelle. Griffin se fige. Le concierge s'est-il habillé aux couleurs de son équipe favorite pour se venger de la défaite subie contre les Jets en 1969? Veut-il mettre la main sur la bague ou alors la faire disparaître pour de bon?

Oh, non! On est au milieu d'un plan délicat et voilà qu'on risque d'attraper le mauvais suspect!

Le concierge passe devant eux et continue en direction du secrétariat.

— C'est Clancy, dit Griffin à voix basse dans l'émetteur-récepteur.

— Je le savais! siffle Pic. Est-ce qu'il a la bague?

— Pas encore, murmure Griffin.

— Qu'est-ce qu'on *fait*? demande Melissa d'une voix tremblotante.

Griffin et Shank échangent un regard interrogateur.

— Ne bougez pas d'un poil et soyez prêts à agir, conseille le plus vieux des garçons. Si on voit qu'il a la bague, on ne doit pas le laisser sortir de l'école.

Cela ne prend que quelques minutes avant que les pas reviennent vers eux, mais les garçons ont l'impression que des heures se sont écoulées.

Griffin, tremblant, jette un coup d'œil par l'embrasure de la porte des toilettes.

Le concierge tient un petit objet au creux de ses mains. Les tubes fluorescents au plafond reflètent une surface brillante.

Griffin est sur le point de prononcer les mots « alerte rouge » quand il reconnaît l'objet en question : l'emballage d'une tablette de chocolat.

Il tente de chuchoter « fausse alerte » dans l'émetteur-récepteur, mais aucun son ne sort de sa bouche. Il se sent dévasté en pensant à l'erreur terrible qu'il a failli commettre. S'il n'était pas adossé au mur des toilettes des garçons, il s'effondrerait par terre à coup sûr.

M. Clancy repasse devant eux et continue vers l'amphithéâtre. Bientôt, le bruit de ses pas s'évanouit.

— La voie est libre, chuchote Griffin dans l'émetteur-récepteur en sortant des toilettes.

Shank lui agrippe l'épaule d'une main de fer.

— Pas un geste.

Le cœur battant, Griffin suit du regard l'endroit que désigne Shank. Dans le corridor devant les toilettes, une petite silhouette longe la plinthe et se dirige vers la fontaine. La bestiole a un pelage brun pâle et est aussi ronde qu'une balle de baseball.

Une longue queue fine termine le corps du rongeur.

26

Le rat porteur.

Savannah avait raison!

Évidemment qu'elle avait raison. Cette fille a été capable de faire du plus méchant chien de garde de Long Island son meilleur ami. En matière d'animaux, le jugement de Savannah Drysdale est à toute épreuve.

Émerveillés, Griffin et Shank observent le rongeur avancer vers le piège en reniflant. Deux centimètres avant l'ouverture, il hésite, soupesant le pour et le contre : l'odeur irrésistible de « Rendez-vous à Paris » ou le danger de l'inconnu. La petite boule brillante semble faire pencher la balance. D'un bond, il se rue dans la cage, attrape son trésor et se retourne pour sortir.

Trop tard. La porte du piège s'est refermée d'un coup, l'empêchant de fuir.

— On l'a, murmure Griffin dans l'émetteur-récepteur. Il est dans la cage.

— M. Clancy? demande Ben, étonné.

— Non, le rat porteur! répond l'Homme au Plan.

À 20 h, Dalton Davis ne s'est toujours pas montré

au restaurant « Les Quatre Coins ». Les Bing sont dans tous leurs états.

M. Bing fait les cent pas dans le stationnement du restaurant, discutant au téléphone avec la réceptionniste de chez Davis, Davis et Yamamoto. Quand il rejoint sa femme, il a un air sombre.

— Dalton Davis est à l'opéra.

— À l'opéra? répète Mme Bing, dévastée. Mais dans ce cas, juste ciel, pourquoi nous aurait-il dit de…

Dans sa tête, tout s'éclaire.

— Il n'y avait pas de rendez-vous, c'est bien ça?

Son mari hoche la tête d'un air grave.

— On nous a trompés.

— Mais *qui?* s'étonne sa femme.

Puis ils explosent tous deux à l'unisson :

— *Griffin!*

M. Bing laisse quelques billets sur la table et se précipite derrière sa femme vers leur voiture.

Dans le piège, le rat porteur tremble de peur. Il serre la boule de papier aluminium contre son ventre et jette des regards furtifs aux six membres de l'équipe qui l'entourent.

C'est donc lui le coupable, l'ignoble voyou qui a volé la bague du Super Bowl d'Art Blankenship et qui a du même coup piégé Griffin dans cette horrible histoire. Pas M. Clancy, ni M. Tyran, ni Celia White, ni

Tony. Pas même Vader, le pire ennemi de Griffin. Non, juste lui, ce minuscule rongeur mort de peur.

Savannah essuie ses yeux humides.

— Il est tellement petit et effrayé et sans défense. On doit avoir l'air de vrais géants pour lui. Regardez comme il protège sa boule d'aluminium. On est mille fois plus puissants que lui et, malgré tout, il défend ce qui lui appartient. N'est-ce pas que c'est honorable?

— Il n'y a rien d'honorable à faire ses besoins au même endroit où on dort, fait remarquer Pic. Sans rancune, Fouineur, ajoute-t-elle à l'intention du furet qui vient de surgir par le col de Ben.

— Si c'est bien lui le voleur, je vous rappelle que ce petit monstre a failli m'envoyer directement au centre de détention juvénile, dit Griffin d'un ton grave. Et ça peut encore arriver si on ne parvient pas à tirer tout ça au clair.

— On ne peut pas blâmer un animal d'obéir à son instinct, souligne Savannah.

— On peut si ça gâche la vie de notre meilleur ami! réplique Ben du tac au tac.

— C'est pour ça qu'on les appelle « animaux nuisibles », explique Shank avec patience. Si ces bestioles étaient d'agréable compagnie, on leur donnerait un autre nom.

— On perd du temps, leur rappelle Griffin. Enclenchons la phase 2.

Shank ouvre la porte de la cage et y glisse sa grosse main. Effrayé, le rat échappe à son étreinte. Shank essaie plusieurs fois de l'attraper, mais en vain.

D'un coup de coude, Savannah lui indique de se pousser.

— Il est terrorisé.

Elle sort de sa poche un petit contenant de beurre d'arachide comme on en trouve au restaurant, en met un peu sur sa paume et glisse sa main dans la cage.

— Allez, mon mignon. C'est pour toi.

Le rongeur inquiet hésite, s'accrochant à sa boule d'aluminium comme s'il essayait de se cacher derrière.

— Allez, susurre-t-elle.

Quand Savannah emploie ce ton de voix, elle se transforme en Dr Dolittle. Aucun animal ne lui résiste. Comme de fait, le rat porteur abandonne son trésor et s'avance vers le beurre d'arachide en remuant les moustaches.

Elle soulève le petit animal et le sort de la cage, en le caressant gentiment pendant qu'il lèche sa collation. Puis, de son autre main, elle prend un petit harnais en cuir dans son sac à dos et le passe par-dessus la tête et les pattes avant du rat.

— Je ne te demande même pas comment ça se fait que tu possèdes un truc pareil, dit Pic.

— En fait, c'est un harnais de chihuahua que j'ai rapetissé pour promener mes hamsters, explique

Savannah.

— Tu ne peux pas les mettre dans une roue d'exercice? demande Ben, curieux.

—C'est absurde de courir dans une roue d'exercice, répond Savannah avec mépris, et les animaux le savent. Ça les déprime.

Shank prend la canne à pêche des mains de Ben, attache la ligne au harnais et commence à la dérouler.

Savannah pose le rat porteur par terre.

— Allez, mon mignon. Maintenant, conduis-nous à ta maison.

Ses griffes crissant sur le sol dur, l'animal détale dans le corridor, l'équipe à sa suite. Shank est en tête. Il mouline comme un fou, laissant le rongeur affolé prendre de l'avance, tout en le gardant dans son champ de vision.

Griffin est sur ses talons, murmurant une prière silencieuse à chaque pas. Si M. Clancy décide d'aller se chercher une autre collation, ils ne pourront pas l'éviter cette fois.

— Comment peut-on être sûrs qu'il nous entraîne vers la bague? demande Melissa à bout de souffle, en s'efforçant de garder le rythme.

— Un animal en danger se dirige toujours vers un lieu sûr, halète à son tour Savannah. Pour un rat porteur, c'est sa cachette.

Ballotté et bousculé par l'activité ambiante,

Fouineur s'agite et se met à pousser une série de gloussements farouches.

Ben reconnaît aussitôt les signes avant-coureurs.

— Oh non, Fouineur! Tu ne vomis pas ce soir!

Il pose le furet par terre, à côté de lui, et tous deux reprennent la poursuite.

Le rat porteur a une bonne vingtaine de mètres d'avance à présent. Il tourne à gauche, ses petites pattes dérapant dans le virage, puis disparaît en tournant le coin. D'instinct, Shank tire sur la ligne, obligeant leur petit prisonnier à s'arrêter malgré lui.

Horrifiée, Savannah lui donne une tape sur la main.

— Tu aimerais ça, toi, être malmené par quelqu'un qui est cent fois plus fort que toi?

Shank la dévisage. Il n'a pas l'habitude qu'on le tape, mais il obéit malgré tout et donne du mou à l'animal. Le rat porteur détale de nouveau. L'équipe tourne au coin et continue la poursuite.

Après un virage à droite, ils se retrouvent à traverser le centre de l'école et passent le gymnase, en direction de l'amphithéâtre. Ils entendent la musique de la pièce et des bribes de dialogue. Griffin croit reconnaître la voix stridente de Logan, mais il se ressaisit : ce n'est pas le moment de se laisser déconcentrer. Le plan vient d'entrer dans sa phase la plus critique et aussi la plus délicate. De l'autre côté du mur, des centaines de personnes sont assises. Il suffirait qu'un seul spectateur décide d'aller aux toilettes pour saborder l'opération Rat porteur.

Le rat porteur file le long d'un corridor, puis se faufile sous une chaise qui sert à maintenir ouverte une lourde porte en métal. Shank réussit à éviter l'obstacle, mais le fil à pêche se coince sous la chaise et la fait basculer. La chaise heurte l'arrière des jambes de Shank, qui trébuche et tombe par terre, échappant la canne à pêche du même coup. Le rongeur en fuite part comme une flèche, tandis que le moulinet, dans un long bourdonnement, laisse le fil se dérouler. Shank parvient à refermer sa main sur la bobine et à la bloquer. Il se démène pour se remettre sur pied, puis reprend la poursuite. La porte, maintenant débarrassée de la chaise, se referme derrière lui.

Pic court tellement vite que, entraînée par son élan, elle fonce sur la porte. Elle rebondit sous l'impact, mais reste accrochée à la poignée. La porte ne bouge pas d'un millimètre.

Griffin arrive en trombe sur les lieux.

— On se dépêche! crie-t-il d'une voix rauque.

— C'est verrouillé! rétorque-t-elle d'un ton irrité.

— Tu veux dire qu'on les a *perdus?* s'étrangle Ben en ramassant Fouineur qui gratte contre la porte en métal.

— Je ne fais pas confiance à quelqu'un qui pense

que des animaux peuvent être nuisibles, s'empresse d'ajouter Savannah. Ce sont les *gens* qui nuisent aux animaux!

— Là n'est pas la question! tranche Griffin.

Il est dans un état de panique totale et tire de toutes ses forces sur la poignée, comme s'il se croyait capable d'en arracher le verrou en acier.

— Le rat porteur est notre seule piste pour la bague! Il faut le retrouver!

— Et comment on va faire ça? demande Ben. Shank n'a pas d'émetteur-récepteur et on ne peut pas vraiment se mettre à crier son nom dans toute l'école!

— Il doit y avoir un moyen de savoir où ils sont allés, dit Pic en regardant désespérément autour d'elle. Et puis d'abord, elle mène où cette porte?

27

Jules César est au sommet de sa gloire. Il vient d'être nommé chef incontesté de la République de Rome. C'est sa plus grande victoire. Et Logan est en train de vivre lui aussi un triomphe personnel : il brille devant plusieurs centaines de spectateurs charmés par son jeu.

— Citoyens de Rome, je me tiens devant vous en toute humilité...

Quelle superbe réussite! Les spectateurs de la première rangée sont presque debout, bouche bée devant sa performance magistrale. Ce qu'il ignore cependant, c'est que derrière lui, le rat porteur trottine d'un côté à l'autre de la scène, à la vue du public.

— Admirez la ville indestructible que nous avons bâtie ensemble!

À ces mots, la toile géante représentant le *Circus maximus* se fend et Sheldon Brickhaus est projeté sur la scène, canne à pêche à la main, pestant contre le rat. Dans sa poursuite effrénée, il renverse un aqueduc et fauche le Panthéon, avant de fracasser le paysage d'arrière-scène illustrant les sept collines de Rome. Il disparaît tellement vite que c'est presque comme si son passage éclair n'avait jamais eu lieu… sauf pour les décombres qu'il laisse derrière lui.

Jules César, le plus grand général de Rome, est planté au beau milieu des ruines de sa ville éternelle. Logan est sûr que même Johnny Depp n'a jamais été confronté à un défi d'acteur aussi colossal que celui-ci. Selon son texte, il est censé déclarer « Notre Rome bien-aimée durera dix mille ans! », mais il ne peut pas vraiment dire une chose pareille, à présent. Sa Rome à lui n'a même pas survécu au troisième acte…

Quelles paroles pourraient sauver la pièce du désastre?

Jules César se tourne vers le public et tente le tout pour le tout :

— Vous savez ce que c'est, plus moyen de trouver du bon marbre de nos jours!

Et que le spectacle continue!

Griffin est le premier à apercevoir le rat porteur et il réussit à rejoindre Shank au moment où celui-ci sort en trombe des coulisses. Les autres arrivent de toutes les directions, leurs pas résonnant d'un bout à l'autre des corridors.

— Où étais-tu? demande Griffin, haletant.

— Mauvaise nouvelle, admet Shank dont le calme habituel est un peu ébranlé. Vous avez le bonjour de Jules César.

— Tu étais dans l'amphithéâtre? questionne Ben, essoufflé. Est-ce que M. Tyran t'a vu?

— Tout le monde m'a vu! J'étais sur la scène!

— Oh, non! gémit Pic. Griffin, tu dois partir au plus vite. On va se faire prendre et il ne faut pas que tu sois là!

— La partie n'est pas encore finie, répond Griffin, les dents serrées. Si on trouve la bague, se faire prendre sera sans importance.

Même l'inébranlable Shank commence à montrer des signes de nervosité.

— Elle a raison, Justice. T'es déjà assez dans le pétrin comme ça. Laisse-nous faire.

— Si on plonge, on plonge tous ensemble, répond Griffin en secouant la tête d'un air obstiné.

— En parlant de plonger... intervient Melissa.

Ils regardent sans bouger. Le rat porteur file droit vers la réserve et l'escalier qui mène au sous-sol.

Toute l'équipe dévale les marches à sa suite. Shank est en tête, moulinant comme un fou.

— Ne lui fais pas de mal! le supplie Savannah.

— Si je le laisse s'éloigner, on va le perdre parmi tout ce bazar! réplique Shank.

Ils regardent autour d'eux en reprenant leur souffle. La cave est remplie de pupitres brisés, de chaises en trop, de matelas roulés, d'équipement de sport et de centaines de cageots et de boîtes. L'appareil de chauffage trône au centre de la pièce. Des douzaines de conduits et de tuyaux reliés à l'énorme fournaise partent en tous sens, et lui donnent l'air d'un vieil arbre aux branches noueuses.

Bondissant habilement d'une boîte à une pile, puis à un cageot, le rat porteur les entraîne dans une course d'obstacles.

— Il sait exactement où il s'en va! murmure Savannah, émerveillée. Regardez quelle assurance il a! Il approche de chez lui!

Stupéfiés, ils observent le rat sauter d'un classeur jusque sur un côté de la fournaise. De là, il grimpe plus haut, fait un crochet par un tuyau qu'il parcourt sur toute sa longueur et s'engouffre derrière le plafond suspendu. La dernière chose qu'ils voient, c'est sa longue queue maigre qui disparaît dans le trou.

— Ça y est, déclare Shank, sûr de lui. Sa planque est là.

— Absolument, approuve Savannah.

L'expert en nuisibles et la spécialiste en comportement animal sont d'accord.

— Avez-vous vu ça, grogne Ben. Et comment on est censés se rendre là-haut?

— Ça, c'est mon affaire, affirme Pic en ajustant sa corde d'escalade autour d'elle. Et à nous la bague du Super Bowl!

Elle grimpe sur des barreaux en métal fixés sur

le côté de la fournaise, puis passe avec agilité sur le tuyau et suit la route empruntée par le rat porteur. Elle se déplace aisément, avec sa grâce athlétique habituelle, pas du tout troublée par le fait qu'elle se trouve à plus de 6 mètres au-dessus du sol.

Ben se casse le cou pour suivre sa progression sur le tuyau, toujours plus haut.

— Je sais qu'elle fait des trucs beaucoup plus difficiles quand elle va grimper avec sa famille, mais ça me donne la frousse de la voir. Tout de même, un faux pas et elle n'est plus qu'une tache sur le ciment.

— C'est une experte, affirme Griffin.

Mais même lui semble tendu en la regardant se déplacer à une telle hauteur.

Quand le tuyau se met à monter à la verticale, Pic aperçoit le fil à pêche qui est encore attaché au harnais du rat porteur. Elle le teste.

— Il ne court plus, crie-t-elle à ses amis. Il doit être juste derrière le panneau du plafond.

Se déplaçant très lentement à présent, elle grimpe jusqu'à ce que ses cheveux frôlent le plafond. Puis, s'agrippant au tuyau par la seule force de ses jambes musclées, elle pousse délicatement de côté le panneau et passe sa tête par l'ouverture pour y jeter un coup d'œil.

L'espace est étroit, conçu pour recevoir des conduits, des tuyaux, des câbles, mais certainement pas une personne. Le rat porteur se trouve à environ un mètre devant elle, occupé à ronger la laisse en cuir du harnais qui lui est étranger. Il est entouré d'un vaste assortiment d'objets brillants : des prismes, des trombones, des bijoux en toc et des douzaines de perles colorées.

Et en plein centre, brille le joyau de sa collection : la bague incrustée de diamants d'Art Blankenship, des Jets de New York, souvenir de leur victoire au Super Bowl de 1969.

28

— Bingo!

Pic enfonce sa main à l'intérieur du plafond pour prendre la bague, priant pour que le rat soit un collectionneur et non un batailleur.

Terrifié, le petit animal recule le plus loin que le lui permet le fil à pêche. Puis, il se recroqueville, tremblant, ses yeux écarquillés rivés sur l'envahisseur géant qui avance vers son précieux trésor.

La main continue d'approcher, jusqu'à se trouver à une vingtaine de centimètres de la bague.

— L'as-tu? demande Griffin, angoissé.

— Je ne peux pas l'atteindre, dit Pic d'une voix tendue.

— Essaie encore, la supplie Griffin.

— C'est inutile. Mes épaules ne passent pas dans le cadre métallique du plafond suspendu. C'est l'affaire de quelques centimètres…

— Il va falloir qu'on envoie Ben, décide Griffin.

— Quoi? Là-haut? lâche Ben.

— Pic ne passe pas par l'ouverture, mais toi, tu passeras, explique Griffin. Tu es notre spécialiste des espaces réduits.

— Ouais, ici, sur le plancher des vaches. Comment vais-je grimper là-haut, moi? En volant?

C'est presque ça. Pic défait la corde qu'elle porte en bandoulière et la pose autour d'une section horizontale d'un gros tuyau, laissant pendre les deux bouts jusqu'au sol. Suivant ses directives, Griffin attache une extrémité de la corde à la taille et entre les jambes de Ben, de manière à former un harnais solide. Avec l'air d'un condamné à mort, Ben remet Fouineur à Savannah, la seule personne qu'il croit capable de s'occuper d'un furet craintif. Puis, Shank et Griffin commencent à tirer sur l'autre bout de la corde pour hisser Ben jusqu'au plafond. Le garçon n'émet qu'une seule requête, tandis qu'il se voit monter toujours plus haut :

— Ne me lâchez pas, les gars.

Tout en le hissant, Shank observe Ben, l'air sceptique.

— Je pense que ton ami est en train de pleurer, là-haut.

— Ne t'y trompe pas, réplique Griffin avec confiance. Ben chiale beaucoup, mais une fois acculé au pied du mur, il s'acquitte bien de sa tâche. S'il ne s'endort pas.

— Hein?

— C'est une longue histoire. Continue à tirer. Rien ne peut nous arrêter, maintenant.

Au même moment, des pas pesants résonnent dans l'escalier. Darren Vader surgit dans la salle des fournaises.

— Vous êtes cuits, les minus! Dès que j'ai vu ce type saccager le décor de la pièce, j'ai su que vous étiez derrière ça!

Il écarquille les yeux en apercevant Pic, juchée au plafond, puis Ben, un mètre ou deux plus bas, qui poursuit son ascension.

— J'avoue que je ne comprends pas.

— Fiche le camp, Vader! lance Griffin d'un ton dur. Ça ne te regarde pas!

— C'est à propos de la bague, c'est ça? s'exclame Darren, triomphant. Super cachette, Bing! Un peu extrême peut-être, mais je te lève mon chapeau pour avoir trouvé un endroit où personne n'a eu l'idée d'aller voir.

Savannah fusille Darren du regard.

— Même toi, tu n'es pas assez méchant pour nous dénoncer. Tu sais très bien ce que la bague représente pour Griffin.

— Je ne dénonce personne, les rassure Darren. Tant que je reçois ma juste part.

— Ta juste part de *quoi?* demande Griffin.

— De l'argent que tu vas faire en la vendant! Je veux ma part... plus un petit bonus peut-être, pour avoir tenu ma langue.

— Personne ne vend quoi que ce soit, lance une voix forte, derrière Darren.

Tout le monde se retourne. Même Ben réussit à se balancer dans la direction de la voix. Tony Bartholomew est là, son visage marqué d'un air de détermination féroce.

— Cette bague m'appartient. Je la rapporte chez moi.

— Mme Blankenship l'a léguée à *l'école*, conteste Savannah. C'était un don.

— Dans ce cas, pourquoi l'avez-vous cachée dans le plafond du sous-sol de l'école? leur lance Darren sur un ton de défi.

— Fais comme s'ils n'étaient pas là, dit Pic à Ben. Contentons-nous de faire notre travail.

Elle tend la main au garçon et l'aide à se hisser sur le tuyau. Le jeune grimpeur se dit qu'elle n'a sûrement jamais vu quelqu'un d'aussi terrifié que lui.

— Il n'y a pas de quoi en faire tout un plat, le rassure-t-elle. C'est juste haut.

Ben est pratiquement hystérique.

— Je m'en fiche que ce soit *haut!* Tout ce qui m'intéresse, c'est de retourner en bas au plus vite!

Elle le soulève et le pousse dans l'espace étroit du plafond.

— Tu vois la bague? Tu n'as qu'à faire passer tes épaules par le cadre en bois...

Les gens ont de bons amis, songe Ben avec amertume, des amis normaux, qui ne les envoient pas farfouiller dans le plafond de la salle des fournaises pour dévaliser un rat porteur. Mais il n'y a pas à discuter. Griffin a besoin de cette bague et Ben est le seul à pouvoir l'atteindre. Griffin ferait la même chose pour lui.

Ben tend les bras comme s'il allait plonger, il se fait tout petit et se faufile par l'ouverture. Le cadre en bois lui égratigne la peau à la hauteur des épaules. Il avance la main vers la bague qui trône au beau milieu de la collection de babioles, tout en gardant un œil sur le rat porteur, qui l'observe avec rancœur.

Au moment où il s'empare du trésor d'Art Blankenship, l'animal se jette en avant et lui arrache la bague avec ses dents.

— Hé!

Le rat porteur tente de s'enfuir, mais le fil à pêche tendu l'en empêche. Il reste coincé, à un mètre de Ben.

— Qu'est-ce qui se passe? demande Griffin d'en bas.

— Je l'avais, essaie d'expliquer Ben, mais le rat me l'a reprise!

— Attrape-le! ordonne Shank.

— Il est trop loin!

— Pas le rat, le fil à pêche! beugle Shank. Quand on va te descendre, il va bien être obligé de te suivre!

Ben agrippe le fil de nylon noir et l'enroule autour de sa main pour ne pas l'échapper. Puis, il se dégage de l'espace étroit et crie :

— Écartez-vous en bas!

Griffin et Shank amorcent la descente de Ben. Ils relâchent doucement la corde, en faisant glisser leurs mains une par-dessus l'autre sur toute sa longueur. Quelques secondes plus tard, le rat porteur surgit du plafond suspendu. La bague en or du Super Bowl est coincée entre ses dents et elle pendouille dangereusement en dessous de lui.

— Ben Slovak, si tu laisses tomber cette pauvre bête sans défense, je te fracasse tous les os du corps! jure Savannah en observant la scène avec angoisse.

Ben a trop peur pour répondre. Si Shank et Griffin échappent la corde, il n'aura pas besoin de Savannah pour se rompre tous les os du corps.

— Fais attention, gringalet, braille Darren. C'est mon compte en banque que tu as entre les mains.

— Tu peux toujours rêver, rétorque Tony, bouillant de colère.

— Je redonne immédiatement la bague à M. Egan, affirme Griffin d'un ton catégorique. Déjà qu'elle a été volée par un rat, je ne vais pas la donner à deux autres ra... paces.

Tandis qu'il parle, Griffin perd momentanément sa prise sur la corde et cela provoque une secousse.

Shank tire aussitôt un coup sec pour stabiliser la descente de Ben, mais sous l'effet de la surprise, le rat porteur pousse un cri et lâche la bague.

Le bijou tombe, touche le sol et rebondit sur le ciment. Griffin doit faire appel à toute sa volonté pour ne pas lâcher sur-le-champ la corde qui retient Ben et plonger sur la bague. Darren, Tony, Savannah et Melissa se précipitent dessus en se bousculant. Darren arrive le premier, s'en empare et se dirige aussitôt vers la porte.

Un bras puissant l'agrippe par le collet et le soulève : c'est Shank, une main sur la corde et l'autre sur Darren. L'instant d'après, Tony se lance dans la bataille.

— *Bas les pattes!*

La bague toujours en main, Darren réussit à se déprendre et file vers les escaliers.

— *Elle appartient à l'école!* crie Griffin.

Darren s'esclaffe.

— À plus, les minus!

Les mots s'étranglent dans sa gorge. Debout dans l'embrasure de la porte, M. Egan observe la scène.

29

Les Bing font crisser les pneus sur la chaussée lorsqu'ils garent leur voiture dans l'allée. Ils sortent en courant du véhicule et se précipitent dans la maison.

— Griffin, descends immédiatement! ordonne M. Bing.

Pas de réponse. Le couple échange un regard anxieux.

M. Bing gravit les marches d'un pas lourd, tandis que sa femme descend au sous-sol. Elle entend son mari inspecter les chambres à l'étage. Griffin ne semble pas y être, et il n'est pas au sous-sol non plus.

Dans quel pétrin leur imprudent de fils est-il allé se fourrer, cette fois?

Les yeux de Mme Bing tombent sur le concentrateur du système de surveillance. Le souffle coupé, elle constate que le voyant lumineux est éteint. Ce n'est pas normal!

Sans réfléchir, elle appuie sur le bouton de réinitialisation.

Sous l'éclairage tamisé de la salle des fournaises, le visage rouge du directeur semble presque rayonner.

Il semble tellement bouillonner que Griffin est convaincu qu'ils seront tous aspergés d'acide quand il explosera.

Griffin et Shank déposent Ben par terre, puis regardent Pic descendre le long de la fournaise et venir les rejoindre pour affronter la suite en équipe. Au bout du fil à pêche, le rat porteur inquiet remue comme un chien en laisse.

Le directeur est toujours muet. Pour une raison quelconque, M. Tyran, toujours si prompt à reprocher le moindre faux pas à ses élèves, ne trouve rien à dire devant cet incident majeur.

Darren finit par rompre le silence.

— Entraîneur, j'ai retrouvé votre bague, dit-il en la lui tendant.

Le directeur la prend, mais garde les yeux rivés sur Griffin.

— Un rat?

— Je peux vous expliquer... dit Griffin d'une voix hésitante.

L'Homme au Plan est déjà l'auteur des explications les plus bizarres de l'histoire, mais en racontant celle-ci, de loin la plus farfelue, il sait qu'il bat tous les records : appareil orthodontique perdu chez Savannah, rat porteur le trouve, rat porteur aboutit à l'école et rat porteur l'échange contre une bague. C'est le genre d'histoire que même sa grand-mère n'avalerait pas, alors le directeur le plus sévère de tout Long Island, encore moins.

M. Egan demeure silencieux durant tout le récit, les muscles de ses mâchoires se contractant furieusement chaque fois qu'il serre et desserre les dents.

Un martèlement de talons hauts sur le plancher résonne alors : Celia White surgit dans la salle des fournaises. Son regard de faucon se pose sur Griffin et ses amis.

— Je le savais! Je savais que s'il y avait du grabuge, ce serait à cause de cette petite bande de voyous! lance-t-elle avant de s'adresser au directeur. Cette fois, ils ne s'en tireront pas aussi facilement! Cette fois, la peine sera à la mesure de la faute!

Soudain, M. Egan se tourne vers elle.

— Si la peine est à la mesure de la faute, comme vous dites, vous allez être virée de votre journal et je vais perdre mon emploi. Vous et moi, nous avons commis la même faute. Nous avons accusé Griffin en nous fiant uniquement à son passé.

Il se tourne vers Griffin, l'air désolé et sincère.

— Je ne sais pas quoi te dire. Je suis *tellement* désolé. J'ai été bête et injuste, et j'ai sauté trop vite aux conclusions.

Darren est soufflé.

— Quoi? Vous *croyez* ses balivernes? lâche-t-il, estomaqué.

— Cela fait quelques minutes que je suis ici, l'informe le directeur. Je sais exactement qui a retrouvé la bague… *et* qui a essayé de la voler.

Il adresse un regard entendu à Darren et à Tony.

— Eh bien moi, je n'en crois pas un mot! s'exclame Celia White d'un ton dur, ses traits d'oiseau déformés par la colère. Ils vous embobinent comme ils ont embobiné leurs parents et la ville tout entière. Je *suis* la seule à les tenir responsables!

— Les innocents ne peuvent pas être tenus responsables de fautes qu'ils n'ont pas commises, soutient le directeur avec fermeté. Je suis certain que M. Clancy trouvera un nid de rat porteur dans le plafond quand je lui demanderai d'y jeter un coup d'œil. Et alors, toutes les accusations seront retirées. Bien sûr, Griffin pourra revenir à sa véritable école avec ses amis… du moins, s'il veut toujours de moi comme directeur.

Griffin hoche la tête avec enthousiasme, trop ému pour prononcer un mot. Tout ceci est-il bien vrai? Son cauchemar serait-il enfin fini?

Toute la bande se jette sur lui et l'assaille d'étreintes joyeuses et de tapes dans la main. Shank le gratifie d'une claque dans le dos assez forte pour lui briser les os.

— C'est génial, mon vieux, parvient à dire Ben d'une voix étranglée.

— Les parties de ballon chasseur ne seront plus les mêmes sans toi, ajoute Shank en ébouriffant la tignasse de Griffin.

C'est à ce moment précis, alors qu'il a le visage penché vers le sol sous la puissance des doigts de Shank, que l'Homme au Plan est frappé par une vision d'horreur.

Le voyant lumineux vert de son bracelet de surveillance clignote.

30

Horrifié, Griffin voit le voyant lumineux cesser de clignoter et virer au rouge.

Paniqué, il vérifie le téléphone cellulaire modifié qui est fixé à sa ceinture. Il fonctionne toujours.

— Melissa, qu'est-ce qui se passe? Pourquoi le voyant est-il rouge?

Pendant que la jeune fille examine l'appareil, ses cheveux habituellement raides se dressent subitement sur sa tête, comme lors d'une démonstration d'électricité statique.

— Le transmetteur fonctionne toujours, répond-elle, perplexe. Peut-être que le concentrateur dans ton sous-sol a redémarré de lui-même, pour une raison quelconque.

— Mes parents! s'écrie Griffin désespéré. Ils doivent être rentrés et ils ont redémarré le concentrateur! À présent, les policiers sont en route vers chez nous, et quand ils découvriront que j'ai disparu...

— Mais tu n'as plus rien à craindre maintenant, proteste Ben. Tu n'as qu'à leur raconter l'histoire du rat porteur.

— Je ne suis pas avocat, intervient Shank, mal à

l'aise, mais je ne crois pas que tu aies le droit d'ignorer une assignation à résidence, même si elle t'a été donnée à tort.

Le moment d'indécision est déchirant. Oui, Griffin a été reconnu innocent, mais le sergent-détective Vizzini acceptera-t-il cette excuse? Griffin aurait-il réussi à blanchir son nom dans l'affaire de la bague du Super Bowl seulement pour se faire arrêter pour infraction à une assignation à résidence par la suite?

À la surprise générale, c'est M. Egan qui brise le silence en lançant un vibrant :

— *Allons-y!*

Le directeur attrape Griffin par le bras et le tire à toute vitesse en haut de l'escalier.

Griffin doit lutter pour parvenir à le suivre.

— Où allons-nous?

— Chez toi! répond aussitôt M. Egan. Et vite!

Ils arrivent au rez-de-chaussée alors que la pièce *Ave César* vient de se terminer. Tous les spectateurs, plusieurs centaines, sortent de l'amphithéâtre et envahissent l'école.

M. Egan n'a pas l'intention de laisser la foule le ralentir. Tout en beuglant des « Excusez-nous! » et des « Attention! », il entraîne Griffin à toute vapeur dans une course d'obstacles à travers les corridors, les portes doubles et jusque dans le stationnement. Il pousse Griffin sur le siège du passager de sa Hyundai avant de se jeter lui-même derrière le volant.

Le spectacle étant terminé, une longue file de voitures attend de pouvoir tourner à gauche dans la rue Cedar Neck. Pour éviter la congestion, le directeur fonce en sens inverse, saute le trottoir et traverse le terrain devant l'école à vive allure, renversant au passage la pancarte LA SÉCURITÉ D'ABORD.

— Monsieur Egan, qu'est-ce que vous faites? s'exclame Griffin.

— C'est moi qui t'ai mis dans ce pétrin, répond-il tandis que la voiture bondit sur la route, et j'ai bien l'intention de t'en sortir. Où habites-tu?

— Au 231 rue Poplar, mais…

Le directeur appuie à fond sur la pédale. La voiture s'emballe et dévale la rue deux fois plus vite que la vitesse permise. Griffin agrippe la poignée de la portière quand la voiture grille un feu rouge et vire à gauche en faisant crisser ses pneus.

M. Egan accélère et se faufile parmi les voitures. Griffin est estomaqué. Il n'a jamais vu une conduite aussi agressive ailleurs que dans les poursuites de voitures des films hollywoodiens. Vivre ça en compagnie de M. Tyran, un homme sévère et respectueux des règles, constitue vraiment une expérience irréelle.

— Si la police nous arrête, vous allez perdre votre permis pour un an! proteste Griffin.

— Les seuls policiers qui m'inquiètent en ce moment, réplique le directeur d'un air décidé, ce sont ceux qui sont en route vers ta maison... Et je me demande si on peut arriver avant eux.

À ces mots, une sirène retentit dans les environs. Pendant que M. Egan prend à toute allure le virage qui mène au quartier de Griffin, les lueurs des gyrophares de la police se reflètent sur les nuages bas. Ça va être juste.

La voiture déboule dans la rue Poplar et fait une queue de poisson avant de s'immobiliser dans l'entrée des Bing. Pas de policiers : ils ont réussi! Mais dès que Griffin et le directeur descendent de l'auto, une voiture de patrouille apparaît au coin de la rue, tous gyrophares allumés.

— Vite! dit Griffin d'une voix étranglée. Par derrière!

Ils se précipitent le long de la maison et y entrent en trombe par la porte de la cuisine.

M. et Mme Bing sont au comptoir, pâles d'inquiétude, le cellulaire à la main dans l'attente de nouvelles de leur fils.

— Griffin, qu'est-ce que tu as *fait?* gémit sa mère en l'apercevant.

— Je vous expliquerai plus tard! halète M. Egan. Les policiers vont être là d'une seconde à l'autre et il est urgent de les convaincre que Griffin est resté ici toute la soirée!

Des coups insistants résonnent sur la porte d'entrée avant même que les parents de Griffin aient le temps de dire un mot.

— Police! Ouvrez! lance une voix familière.

Tout le monde s'installe au salon, tandis que M. Bing fait entrer un sergent-détective Vizzini dans tous ses états.

— Je vous avertis... je suis hors de moi. C'était du swahili quand je vous ai expliqué les ennuis qu'aurait Griffin si jamais il s'éloignait de la maison sans son bracelet? Pourquoi n'arrivez-vous pas à me prendre au sérieux? Je suis sergent-détective! Avec un insigne! Et un fusil...

Sa voix s'évanouit quand il aperçoit Griffin, confortablement installé sur le divan du salon, à côté de M. Egan. Son regard se pose sur le bracelet de surveillance du garçon. Le voyant lumineux est vert et ne clignote pas.

Vizzini plisse les yeux.

— On a reçu une alerte de ce bracelet il y a moins de cinq minutes. Êtes-vous en train de me dire que Griffin était à la maison tout ce temps?

Ses yeux passent d'un visage silencieux à l'autre.

— Eh bien, commence Mme Bing l'air hésitant, j'étais au sous-sol il y a un moment et j'ai remarqué que le voyant lumineux du concentrateur était éteint.

J'ai donc appuyé sur le bouton de réinitialisation. C'est peut-être pour ça que…

Mis à part quelques détails importants, c'est la vérité.

— Ce serait plausible, fait gentiment remarquer M. Egan. À l'école, les ordinateurs nous envoient constamment des messages d'erreur bizarres. La plupart du temps, on n'en tient pas compte, tout simplement.

— Peut-être bien, marmonne le policier, sceptique. Puis-je vous demander ce que vous faites ici, monsieur? N'y avait-il pas un événement important à l'école, ce soir?

Le directeur approuve d'un signe de tête.

— Toute cette agitation dans l'école nous a d'ailleurs permis de faire une découverte étonnante, déclare-t-il en plongeant la main dans sa poche pour en sortir la bague du Super Bowl d'Art Blankenship. Il s'avère que Griffin ne l'avait pas volée, en fin de compte. Croyez-le ou non, un rat porteur a trouvé l'appareil orthodontique de Griffin et l'a échangé contre la bague.

— Une histoire pareille, ça ne s'invente pas, ajoute Griffin, le plus sincèrement du monde.

Pendant ce qui leur semble une éternité, le policier reste silencieux.

— J'imagine que c'est possible, dit-il enfin, mais

vous devez comprendre que cette affaire ne dépend plus de moi. Griffin a fait l'objet d'une ordonnance d'un juge. Il faudra donc l'intervention d'un juge pour la lever.

— Ce sera fait demain matin à la première heure, promet M. Egan. Vous avez ma parole.

Vizzini s'adresse maintenant à Griffin.

— D'ici là, le bracelet reste en place et toi, tu ne bouges pas d'ici. Et je ne te poserai même pas de questions au sujet du truc que tu as à la ceinture… même si je me demande bien pourquoi un enfant qui n'a pas le droit de sortir de chez lui a besoin d'un cellulaire.

Il lève la main en voyant Griffin ouvrir la bouche pour répondre.

— Non! Pas un mot. J'ai du flair et j'ai déjà ma petite idée là-dessus, mais si ce que le directeur dit est vrai et que tu es réellement innocent, j'espère que tu comprends que je ne fais que mon travail.

— C'est à moi de m'excuser, déclare M. Egan avec humilité en s'adressant à Griffin et à ses parents. Tout est entièrement ma faute. La seule chose que je peux dire pour ma défense, c'est qui aurait pu croire que cette histoire abracadabrante était l'œuvre d'un rat porteur? Mais cela n'excuse pas que je te blâme injustement, Griffin.

— Merci, monsieur Egan.

Même si M. Tyran ne sera jamais son adulte préféré, Griffin doit bien admettre que le directeur a reconnu ses torts.

Plus tard, quand Vizzini est parti et que Griffin raccompagne le directeur jusqu'à la porte, celui-ci se montre encore désolé.

— Si je peux faire quoi que ce soit pour t'aider, tu n'as qu'à me le demander. Si c'est en mon pouvoir, je ferai en sorte que cela se réalise.

Griffin y a déjà réfléchi.

— Je vous remercie, M. Egan, mais tout ce que je désire, c'est retrouver ma vie normale. Par contre, vous pourriez faire quelque chose pour Sheldon Brickhaus, un élève de deuxième secondaire à TE. Vous l'avez peut-être aperçu ce soir : le petit costaud avec les cheveux en brosse. C'est vraiment un bon gars et un ami loyal, malgré ses allures de voyou. En plus, il est brillant. Il ne fera jamais rien de bon s'il reste à Taule pour Enfants. Je suis convaincu que s'il avait la chance d'aller à notre école, il pourrait s'en sortir.

Le directeur regarde Griffin avec respect, impressionné que le garçon ait demandé une faveur pour un ami plutôt que pour lui-même.

— Je vais voir ce que je peux faire, promet-il.

31

La pièce *Ave César* présentée par l'école secondaire de Cedarville ne reçoit qu'une seule critique. C'est celle de Celia White dans le *Herald*.

Elle l'a détestée.

Selon elle, seule la prestation de l'acteur vedette Logan Kellerman sauve la pièce, car il y fait preuve « d'une assurance et d'un professionnalisme impressionnants alors qu'il est confronté aux pires conditions qu'un acteur puisse rencontrer dans sa carrière ».

Elle en profite pour annoncer qu'elle signe ici sa dernière chronique dans le *Herald*. Après y avoir travaillé pendant 30 ans, elle aspire maintenant à écrire un livre. Il s'agira d'un ouvrage documentaire, le récit du procès qu'engage la famille Bartholomew contre la commission scolaire de Cedarville au sujet de la propriété de la bague du Super Bowl d'Art Blankenship.

M. Egan a déjà déclaré que l'école se battrait jusqu'en Cour suprême pour conserver la bague. Il trouve que trop de gens ont souffert à cause d'elle pour qu'il la laisse aller et refuse de la perdre.

— Je suis content que tu m'accompagnes, Griffin, dit M. Bing en garant la fourgonnette dans le stationnement en terre du verger. Je vais avoir besoin de tout le soutien moral possible aujourd'hui.

— Moi, je suis content que ton projet aboutisse, papa.

Il tire sur la jambe de son pantalon et examine la peau rose au-dessus de sa cheville, là où était fixé le bracelet de surveillance.

Cette excursion (accompagner son père au test sur terrain du Zéro-Mulot) constitue sa première sortie depuis que son assignation à résidence a été officiellement levée. Même si M. Egan a plaidé en sa faveur, il n'a pas été facile de convaincre la juge Koretsky que toute l'affaire de la bague du Super Bowl n'était qu'un énorme malentendu. Elle a même demandé à voir le fameux rat porteur. Par chance, ce rongeur aux doigts fins n'a pas été difficile à trouver : les Drysdale l'avaient adopté. Il est maintenant la vedette de la ménagerie de Savannah. Il a sa propre cage et porte le nom d'Arthur (en souvenir d'Art Blankenship, l'entraîneur adjoint des défenseurs de l'équipe des Jets de New York, qui a gagné il y a tant d'années). Joli comme tout dans son harnais à rongeur, Arthur fait de longues promenades en compagnie de Savannah et de Luthor, dont le confinement a également été levé par la fourrière... pourvu qu'il reste à au moins

150 mètres des terrains de football.

M. Bing a l'air soucieux quand il ouvre le hayon pour prendre le prototype du Zéro-Mulot dans le coffre.

— Autant être réaliste : je suis incapable de rendre ce bidule fonctionnel.

— Il fonctionne parfaitement, papa, le corrige Griffin. Ce n'est pas ta faute si les mulots s'en méfient.

— Dans ce cas, c'est comme s'il ne fonctionnait pas, conclut M. Bing, totalement découragé.

Griffin contemple les lieux : des milliers d'arbres fruitiers plantés en rangs serrés sur des collines ondulantes qui s'étendent à perte de vue. Ah! Comme c'est bon d'être de nouveau au grand air! Il ne s'était pas rendu compte à quel point il se sentait prisonnier durant son assignation à résidence.

— Comment sait-on s'il y a des mulots dans ce verger? demande-t-il à son père. C'est normal de ne pas en attraper s'il n'y en a pas dans le coin.

Son père secoue tristement la tête.

— Cela fait plusieurs décennies que l'endroit subit des dommages causés par les mulots. Le problème, ce n'est pas l'absence de mulots. Le problème, c'est mon prototype. Je cafouille depuis le début. Et après le test, mes investisseurs le sauront.

Griffin lui décoche un sourire encourageant.

— Sois positif, papa. J'ai un bon pressentiment

pour aujourd'hui.

Un véhicule sport d'un noir brillant arrive dans le stationnement. M. Bing laisse échapper un petit souffle nerveux.

— Je vais aller accueillir mes investisseurs, dit-il en tendant le Zéro-Mulot à Griffin. Souhaite-moi bonne chance!

— Ce n'est pas une question de chance, lui répond Griffin, sûr de lui.

Dès que son père a le dos tourné, le garçon s'empresse de sortir de sa poche la bouteille de « Rendez-vous à Paris » de Shank. Il soulève le prototype et le vaporise généreusement du parfum à l'odeur trop sucrée. Il en met sur la plaque où l'on fixe l'appât, sur le fond du piège et, pour faire bonne mesure, sur les barreaux de la cage.

Plissant le nez à cause de l'odeur puissante, Griffin jette un coup d'œil alentour. Une paire d'yeux perçants apparaît déjà parmi les broussailles qui bordent le terrain de stationnement. Un petit rongeur observe avec appétit le Zéro-Mulot. Un moment plus tard, un deuxième mulot surgit de l'herbe, suivi d'un troisième. De minuscules nez roses reniflent l'air avec fébrilité, excités par l'arôme ensorcelant de Rendez-vous à Paris.

Parfait. Déjà trois mulots et le piège n'est pas encore installé. D'ici à ce que la démonstration soit finie, il y aura une file d'attente pour entrer dans le piège.

Il y a des avantages à être ami avec le fils d'un expert en extermination d'animaux nuisibles.

Quand il songe à ses parents, Griffin se dit qu'ils ont bien souffert d'avoir l'Homme au Plan comme fils. C'est pourquoi il fait tout son possible pour se faire pardonner.

Sheldon Brickhaus n'a pas hésité à saisir sa chance ; il est sorti de Taule pour Enfants pour entrer à l'école secondaire de Cedarville. Ce n'est pas un élève modèle, mais il réussit à avoir des notes acceptables et il évite de faire des bêtises. Encouragé par M. Egan, il s'est même joint à l'équipe de football.

Shank n'ayant jamais joué au football de sa vie, il est plutôt nul à tous les postes, sauf un : son talent pour le plaquage se révèle aussi impressionnant que son talent pour le ballon chasseur. Les Seahawks de Cedarville se retrouvent tout à coup avec le défenseur le plus craint de tout le comté.

Aujourd'hui, la partie se déroule à domicile, par un temps brumeux et sur un terrain boueux. La marque est à égalité, 7 à 7, quand Shank provoque un échappé. La ligne offensive des Seahawks revient sur le terrain.

L'entraîneur Egan donne une tape sur le casque de Darren Vader. Darren bondit aussitôt sur ses pieds.

Il est souvent resté sur le banc depuis sa tentative de filer avec la bague du Super Bowl, le soir de la représentation d'*Ave César*.

Avec le vent, la pluie et les cris de la foule, personne ne voit Shank agripper Darren de ses bras puissants et le pousser dans un bosquet. Personne ne remarque non plus que le joueur des Seahawks qui prend la place de Darren dans l'alignement est bien plus petit et beaucoup moins costaud que l'habituel joueur au numéro 23.

Le ballon est attrapé et passé au nouveau venu. Aussitôt, le numéro 23 fonce droit dans le groupe de défenseurs, déjoue les plaqueurs et saute par-dessus les bloqueurs avec agilité. Quand il a le champ libre, le porteur du ballon constate que sa course à une vitesse ahurissante a laissé les joueurs des deux équipes le nez dans la boue.

— Waouh! s'exclame l'entraîneur Egan. Depuis quand Vader court-il aussi vite?

Le numéro 23 traverse le terrain sur toute sa longueur, franchit la ligne de but en exécutant une pirouette acrobatique, et marque dans un *splash* puissant. Les partisans de l'équipe locale manifestent bruyamment leur enthousiasme.

Savourant son triomphe, le porteur du ballon arrache son casque des Seahawks et le lance haut dans les airs. Une cascade de longs cheveux blond miel en jaillit. Pic Benson vit enfin son moment de gloire, celui qu'on lui a toujours refusé.

Tout d'un coup, les tonnerres d'applaudissements de la foule et les cris font place à un silence stupéfait. Des cris de joie proviennent maintenant d'un bosquet, là où Griffin, Ben, Shank, Savannah, Logan et Melissa retiennent le vrai Darren captif, sans son chandail.

— On m'a agressé! gémit Darren.

L'arbitre donne un coup de sifflet pour annuler cette action, tandis que l'opérateur du panneau indicateur des points se démène pour enlever les six points d'avance des Seahawks. Pic s'enfuit du terrain avant d'en être évincée et rejoint ses amis dans le bosquet pour célébrer sa victoire.

M. Egan lance un regard furieux dans leur direction, mais les cris joyeux continuent.

Bien sûr, songe Griffin, *c'est probablement insensé d'aller s'attirer des ennuis si peu de temps après ce qu'il vient de se passer, mais Darren le méritait bien. Et qui plus que Pic méritait ce moment de gloire, après avoir été rejetée de l'équipe de football?*

Griffin a tiré une bonne leçon de son aventure : il a compris qu'il était entouré des meilleurs amis au monde. Même quand toutes les apparences étaient contre lui, Ben, Pic, Savannah, Melissa, Logan et à la fin, Shank ne l'ont pas laissé tomber... alors que lui-même avait abandonné tout espoir de s'en sortir.

Griffin Bing croit à cent pour cent à la planification, mais il sait maintenant qu'il existe quelque chose de plus important encore qu'un bon plan...

Il faut avoir de bons amis.